Tout droit!

Tout droit!

COURS AVANCÉ
première partie

DAVID MORT
THERESA SLACK
ROD HARES

John Murray

Students' Book ISBN 0 7195 5066 1
Teachers' Book ISBN 0 7195 5067 X
Cassette Set ISBN 0 7195 5068 8

A CIP record for this book is available from the British Library

© David Mort, Theresa Slack, Rod Hares 1993
First published 1993
by John Murray (Publishers) Ltd.
50 Albemarle Street, London W1X 4BD

Reprinted (with amendments) 1993, 1994, 1996

Designed by Amanda Hawkes
Printed in Great Britain by St Edmundsbury Press Ltd, Bury St Edmunds, Suffolk

Acknowledgements

The authors and publishers would like to thank the following sources for permission to reproduce text extracts.

Le Berry Républicain
12/6/91 *A cheval sur les principes!*, p.48.
Le Dauphiné Libéré
23/2/90 *Deux piétons et un motard blessés*, p.113; photo de Jean Danz, p.113.
Editions Bernard Grasset
Extract from *La Clé sur la porte* by Marie Cardinal, p.15.
Editions Gallimard
Extracts from *La Peste* and *l'Etranger* by Albert Camus, pp.24, 76.
Extract from *La Place* by Anne Ernaux, p.46
Editions Musicales 57
Le Parapluie, p.92
L'Express
11/5/90 *On voit tout, on n'apprend rien*, p.32
Le Figaro
4/12/91 *Séjours à l'étranger: les langues intensément*, p.34
France-Dimanche
No.2329, 20-26/4/91 *Son seul secret,...* p.74.
Gibus Collège
No.4 *Comment ne pas assister à un cours gymnastique*, p.59; *Les Nouvelles Formes de Pratiques Sportives*. p.60, *Le Sport de haut niveau*, pp.61-2, *Economie et Sport! Choquant?* p.66.
Madame Figaro
No.13894 28/4/89 *Foot, ce n'est plus du jeu!*, p.68.
Le Monde: Radio/Télévision/ Télécommunication
No.1337 24-25/6/88 *La Môme en noir*, p.85
O.K. magazine
No.667 24-30/10/88 *Ce que les garçons détestent chez vous, les filles*, p.17; No.723 20-26/11/89 *Comment passer de super weekends sans vous ennuyer*, pp.22-3; No.681 30/1-5/2/89 *Gérard Blanc interviewé par sa fille Laura*, p.16; 11-17/6/90 *Des tas d'idées pour des vacances musclées*, p.128; 3-9/9/79 *Enfin je retrouve mes copains*, p.130;

No.533 31/3-6/4/86 *Ces vacances, quel ennui pour moi!*, p.122.
Ouest-France
7/4/90 *Le petit écran a bien grandi*, p.31; 10-11/11/90 *Les profs en grève depuis un mois*, p.38; 1991 *Lire l'étiquette d'un vin*, p. 50; 28/1/92 *Les femmes ne reviendront plus en arriére*, p.102; 11-12/1/92 *Chômeuse ici, salariée outre-Rhin*, p.103; 9/1/92 *Jeunes chômeurs: une bouée de plus*, p.104; 5-6/10/91 *Ivre au volant, il fauche trois motards*, p.116.
Le Parisien
22/8/91 *La varappe*, pp.3-4; 9/5/91 *Soudain, Edgard s'enfuit avec la jambe*, p.79; 7/5/91 *Il faut arrêter le vol et le trafic de chiens et chats*, p.80; 27-28/7/91 Test: *Ne gâchez pas vos vacances!*, p.125.
Paris-Match
No.1210 15/7/72 Cartoon, p.132.
Phosphore
No.92 septembre 1988 Sondage, p.12, and Interview with Annie Ernaux, p.29; No.88 mai 1988 *Fréquence Collège*, p.40; No.94 novembre 1988 *Les copies de français corrigées*, p.40 and *L'école ne vous donne pas un métier*, p.43.
La Prévention Routière
Publicité, pp.114-115; cartoon, p.116; publicité, p.119.
Salut!
No.81 19/12/90-1/1/91 *Mais qu'est-ce qui ne va pas?*, p.13; No.59 14-26/2/90 *La vie passionnante de Frédéric Château*, pp.25-7; No.88 27/3/91 *Des Petits jobs pour l'été*, p.96; No.82 2/1/91 *Petits Jobs: En Piste!*, p.98; No.96 17/7/91 *Vacances en famille - dans la bonne humeur!*, p.121 and *Vacances pour le meilleur et le pire*, p.126.
Téléguide
15-21/2/86 *Comment j'ai perdu 19Kg* (publicité), p.54.
Télérama
No.1795 6/6/84 Interview with Georges Brassens, pp.90-91.
V.S.D.
No.755 20-26/2/92 *Les douze métiers préférés des Français*, p.106.

Photographs and illustrations are reproduced courtesy of the following sources.
Hoviv (cartoons, p.56).
Keith Gibson: p.43, p.45 *bottom left*, p.56, p.98 *top right, bottom left*, p.102, p.105.
Sally and Richard Greenhill Photographers: p.36, p.37, p.47, p.60 *bottom left*, p.69 *left*, p.73, p.93, p.96, p.98 *centre top, centre left, centre, centre right*, p.121.
Belga: p.38.
Sipa-Press: p.74, p.84.
Laurence White, p.101, p.102.
Zefa Picture Library: p.9, p.10, p.11 *left*, p.19 *left*, p.25, p.46, p.66, p.80, p.97, p.107, p.120, p.127 *bottom*, p.128 *top left*.
Schaefer-Zefa: p.35.
Zefa-K+H Benser: p.69 *centre*.
Zefa-Norman: p.103.
Robert Harding Picture Library: p.11 *right*, p.19 *right*, p.21, p.22 *top left*, p.49, p.60 *centre left*, p.64, p.69 *right*, p.70, p.108, p.109 *top right*, p.118, p.122, p.127 *top*, p.128 *top right, bottom left, centre and right*, p.131.
Bruce Herman/Robert Harding Picture Library: p.123.
Philippe Royer/Robert Harding Picture Library: p.63
Elie Bernager/Robert Harding Picture Library: p.45 *centre left*
IPC Magazines/Robert Harding Picture Library: p.22 *bottom left*, p.98 *bottom centre*.
David Lomax/Robert Harding Picture Library: p.65
Paul van Riel/Robert Harding Picture Library: p.67
Iconos/Robert Harding Picture Library: p.82.
Rex Features Ltd: p.85, p.88, p.90.

COVER ILLUSTRATION: *Sails at Deauville* by Raoul Dufy, reproduced courtesy of the Tate Gallery, London CARTOONS BY: Claude Bonnaud, Richard Duszczak, Roderick Murray

Every effort has been made to trace copyright holders; any rights not listed here will be acknowledged in subsequent printings if notice is given to the publishers.

Special thanks are also due to the following people who made valuable contributions to the course:
Claire Buet, Richard Martineau, Yann le Liboux, Mireille Braun; the staff and students of the Lycée Saint Joseph in Lorient and the staff of the CES Jules Verne in Bourges; audio editor David Pratt; Pam Beimborn, Sue Clayton, Santosh Gosh, Graham Johnson, and the modern language students of New College, Pontefract and Stockport Grammar School for their encouragement and the piloting of the materials; and the chairman and Governing Body of Stockport Grammar School for granting David Mort a sabbatical term in which to research the course.

Contents

Introduction

Can I cope with advanced level French?

Even the most able students can find the transition to advanced level work daunting. *Tout Droit!* and *Droit au But!* form a two-part course which enables you to bridge this gap. *Tout Droit!* is the first part of the course and this introduction will focus on how it should be used. *Tout Droit!* is aimed at students who have achieved at least National Curriculum levels 6/7 (grade C) in GCSE, or General level in Standard Grade. It will take you from that stage to the point where you can confidently move on to work of A level standard. For students taking AS level or Higher Grade French, *Tout Droit!* provides a complete course.

What does Tout Droit! *include?*

Texts and activities: The printed texts and the recordings on the cassette have been selected to be of manageable length and lasting interest. Each is followed by activities, the first of which is designed to test overall comprehension before you move on to more in-depth activities. The range of texts and activities is very wide.

Consolidations: These are grammar reinforcement exercises, using examples from the text and building on the language work you have done, to show the value of understanding grammar in a 'real-life' context. Each *Consolidation* cross-refers (*Revoyez*) to the relevant text and (*Etudiez*) to the relevant paragraph in the Grammaire at the back of the book. In later units they also cross-refer (*Reprise*) to earlier examples of the grammar points being practised.

Grammaire: This is presented entirely in French but with a straightforward approach that emphasises the practical context and application of grammar. The *Grammaire* is divided into numbered paragraphs which should be studied according to the cross-references given, when you do the *Consolidations*.

Vocabulaire: There is a French-English vocabulary list at the back of the book, but using a French dictionary is by far preferable to depending on the limited help that such a list can provide.

Supplementary practice materials called *Compétence, Débrouillez-vous!,* and *Radio Extra* are supplied in the Teachers' Resource Book that accompanies *Tout Droit!* These will be used at the discretion of your teacher to reinforce your understanding and to build on what you have learned in each unit, as well as for revision, so that you can be sure of your own progress.

Toi et Moi

Quand on est très jeune, on se fait très facilement des amis. Les rapports avec les autres sont simples et vite établis. Pourtant, à mesure qu'on grandit, la vie peut se compliquer. Dans cette unité vous allez rencontrer plusieurs jeunes Français qui parlent de leurs rapports avec leur famille, et avec leurs amis.

1.1

Un corres se présente

Dans la lettre suivante Jean-Luc écrit à sa nouvelle correspondante anglaise et il lui envoie aussi une photo de sa famille.

Lorient, le 6 septembre

Chère Anne,

Mon prof d'anglais m'a donné ton nom et ton adresse. Je voudrais bien être ton corres et peut-être faire un échange plus tard.

Alors, je me présente. Je m'appelle Jean-Luc et j'ai seize ans et demi. Comme tu le vois, j'habite à Lorient en Bretagne. Nous avons un grand appartement au troisième étage dans un immeuble, près du centre-ville. Je t'envoie une photo de moi et de ma famille. Il y a ma mère, et ma soeur cadette, Marie-France. J'ai aussi un frère aîné, et il est sympa. Il n'habite plus chez nous. Mon père non plus.

L'école, je n'aime pas beaucoup. Je suis nul en anglais. Je préfère les sports. Quels sont tes passe-temps? Et toi? Tu as des frères et des soeurs? Comment s'appellent-ils? Ils ont quel âge? Tu habites près de la mer aussi?

Ecris-moi bientôt,

Salut,

Jean-Luc

---

je suis nul(le) en I'm hopeless at

A Maintenant répondez en français aux questions suivantes.

1 Quel âge a Jean-Luc?
2 Où est-ce qu'il habite?
3 Où se trouve son appartement?
4 Combien de frères et de soeurs a-t-il?
5 Est-ce qu'il est fort en anglais?
6 Qu'est-ce qu'il préfère à l'école?

B Mais la lettre de Jean-Luc n'explique pas tout! Regardez la photo. Vous allez bientôt répondre à cette lettre, alors écrivez au moins une question sur chaque personne dans la photo. Utilisez quelques-unes des formes suivantes...

Comment?

Où?

Pourquoi?

Qui?

Quel?

Combien?

Qu'est-ce que?

1.2

Patrick parle de sa famille

Vous allez entendre Patrick qui parle de sa situation familiale. Ecoutez Patrick et notez les renseignements qu'il donne. Pour vous aider, quelques-uns sont déjà donnés.

Nom	*il s'appelle Patrick*
Age	*il a seize ans*
Domicile	
Famille	
Age (soeurs)	
Ecole (maintenant)	
(l'année prochaine)	
Rapports avec famille	

1.3

Hélène parle d'elle-même

Maintenant écoutez bien ce que dit Hélène et prenez des notes pour répondre oralement aux questions suivantes.

A

1 Quel âge a Hélène?
2 Quel âge a sa soeur cadette?
3 Qu'est-ce que vous savez de ses parents?
4 Comment décrit-elle sa mère?
5 Qu'est-ce qu'elle fait avant les cours?
6 Après les cours qu'est-ce qu'elle fait?
7 Qu'est-ce qu'elle fait chez elle?
8 Est-ce qu'elle reste chez elle tous les soirs?
9 Avec qui est-ce qu'elle passe son temps libre?
10 Dites deux choses qu'elle fait pour s'amuser.

B Ecoutez Hélène encore une fois. Comment dit-elle...?

1 My parents are divorced.
2 We have a good time.
3 I have lots of friends.
4 I go for a drink.
5 I go home.
6 Every day's the same.

1.4

Vous vous présentez!

Imaginez que vous êtes en vacances en France et que vous rencontrez un(e) jeune Français(e). Voici les questions qu'il/elle vous pose.

A

1 Tu t'appelles comment?
2 Tu habites où?
3 Tu as quel âge?
4 Tu restes combien de temps?
5 Qu'est-ce que tu fais ici?
6 Tu loges chez qui?
7 On peut se revoir?

Mais les réponses ont été mélangées! A vous de les remettre dans le bon ordre.

a Je reste quinze jours.
b Oui. Si on allait au ciné ce soir?
c J'habite à Manchester.
d Je loge chez des amis.
e Je m'appelle Marie.
f J'apprends le français.
g J'ai seize ans.

B *Travail à deux*

Personne A: Vous êtes dans le ferry Douvres/Calais et dans le restaurant vous êtes assis(e) à côté d'un(e) Français(e). Entamez une conversation en français avec lui/elle. Utilisez plusieurs formes interrogatives.

Personne B: Répondez aux questions de votre nouvel(le) ami(e) en inventant les détails, et posez-lui des questions sur sa vie et sa famille.

1.5

Votre réponse à Jean-Luc

Relisez la lettre de Jean-Luc et écrivez une réponse de 80–100 mots.

1.6

Les ados et leurs parents

Même si vous vous entendez bien avec vos amis, vous avez peut-être quelquefois des problèmes chez vous. Beaucoup de jeunes Français ont souvent des problèmes, eux aussi, en ce qui concerne leur famille.

A Ecoutez Ariane, 19 ans, qui parle de ses rapports avec ses parents. Le texte suivant est le résumé de ce qu'elle dit. Remplissez les blancs avec les détails appropriés.

Ariane habite avec sa mère et sa soeur et toutes les trois sont très ____. Elle ne voit pas très souvent son père car ses parents sont ____. Son père habite ____.

Ariane ____ bien avec sa mère et il n'y a pas souvent de ____. Avec sa mère elle peut parler de ____ et même de son ____. Quand il arrive des disputes c'est souvent à cause des ____ Cela ne dure pas ____.

Avec le père d'Ariane, c'est ____ Elle ne le voit pas souvent. Il n'est pas content quand elle veut ____. Il ne veut pas la voir____.

CONSOLIDATION

Revoyez: 1.6

Etudiez:
Adverbes, p. 141

Exercez-vous:

1 Décrivez la manière dont vous faites les choses suivantes, en complétant chaque phrase par une expression prise dans la case:

a Je m'entends .... avec ma mère/mon père.

b Je travaille .... en classe.

c Je comprends .... les cassettes.

d Je fais .... mes devoirs de français.

e Je suis .... les films français.

f Je vais .... au cinéma.

g J'ai visité .... la France.

h Je progresse .... en français.

i Je passe .... des cassettes de musique.

j Je comprends .... le français parlé.

> très bien   plutôt bien
> plutôt mal   très mal
> jamais   souvent
> parfois   rarement
> de temps en temps
> facilement

2 Maintenant, écrivez dix phrases en utilisant chaque fois une des expressions adverbiales de la case pour décrire ce que vous faites personnellement.

1.7

Ados/parents: sondage

Et vous? Regardez ce sondage, paru dans *Phosphore*, un magazine destiné aux adolescents. Ce sont les résultats d'une enquête sur les rapports parents/enfants.

PARENTS-ENFANTS: C'EST L'AMOUR!
Comment vous entendez-vous avec vos parents?[1]

	Avec votre père	Avec votre mère
Très bien	**41**	**52**
Plutôt bien	**45**	**41**
Plutôt mal	8	5
Très mal	3	1
Sans réponse	3	1

[1] Tous les chiffres de ce sondage sont exprimés en pourcentages.

Jeunes, vous disputez-vous avec vos parents?

Souvent	**71**
Parfois	19
Jamais	10

Parents, vous disputez-vous avec vos enfants?

Souvent	8
Parfois	**81**
Jamais	1

«MES PARENTS? SYMPAS ET ATTENTIFS»
Dans les couples d'adjectifs suivants, lesquels conviennent le mieux à vos parents?

	A votre père	A votre mère
Attentif	**62**	**85**
Indifférent	23	6
Présent	**60**	**85**
Absent	28	4
Tendre	**55**	**74**
Dur	24	10
Jeune d'esprit	**46**	**61**
Rétro	35	25
Autoritaire	**44**	36
Libéral	43	**50**

A *Travail à deux*

Comment vous entendez-vous avec vos parents? A quels sujets vous disputez-vous? Trouvez-vous les résultats du sondage surprenants? Pourquoi? Discutez avec un(e) partenaire.

B Regardez maintenant le deuxième tableau du sondage (à gauche). Quels adjectifs conviennent le mieux pour décrire vos parents? Ecrivez vos raisons. Par exemple, «Mon père est attentif. Il n'est jamais trop occupé pour m'aider avec mes devoirs.»

CONSOLIDATION

Revoyez: 1.7

Etudiez:
Adjectifs p. 138

Exercez-vous:

Vous avez rencontré les adjectifs suivants dans le sondage:

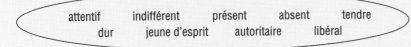

attentif   indifférent   présent   absent   tendre

dur   jeune d'esprit   autoritaire   libéral

Utilisez-les (avec la terminaison appropriée) pour compléter les propos personnels suivants:

1 Je trouve mon (grand-) père relativement …….
2 Ma (grand-) mère est plutôt …… pour moi.
3 Mes grands-parents sont restés …….
4 Ma mère est plus …… que mon père.
5 Mon père est plus …… que ma mère.
6 Ma famille est toujours …… quand il le faut.
7 Ma tante m'a toujours été …….
8 Dans notre pays les parents sont moins …… qu'autrefois.
9 Je ne voudrais pas avoir un père …….
10 Je traiterai mes enfants d'une façon …….
11 Les enfants ont besoin de parents …….

1.8

Qu'est-ce qui ne va pas?

Voici, ci-dessous, d'autres adolescents qui décrivent leurs rapports avec leurs parents.

A Lequel/laquelle des jeunes dit…?

1 Ils sont indifférents.
2 Je ne fais jamais ce qu'il faut.
3 Mon père a toujours raison.
4 Aucune communication.
5 Un affrontement permanent.
6 Je les dérange.

B Comment est-ce qu'ils disent…?

1 They think they're right about everything.
2 It's unbearable.
3 To say what's on my mind.
4 They make a big deal of it.
5 There is a big scene.
6 I argue with my parents.

C Rendez en anglais les propos de François et de Jean-Marie.

arriver à faire quelque chose	to manage to do something
un petit con	an idiot
décevoir (déçu)	to disappoint
un truc	a thing, whatsit
au lieu de (+inf)	instead of (doing something)
des conneries	stupid things

Mais qu'est-ce qui ne va pas?

Vous avez l'impression de ne pas être compris, de ne pas être aimé et vos parents, au contraire, ont la conviction qu'ils font tout pour vous … Vous vous opposez sans cesse, et pourtant vous avez le même chemin à faire ensemble. Pourquoi ne pas essayer de vous rencontrer enfin?

François, 16 ans:
«Mon père sait toujours tout sur tout, c'est insupportable. Si je ne suis pas d'accord avec lui, je passe pour un petit con qui a encore plein de choses à apprendre.»

Jean-Marie, 14 ans et demi:
«Je m'engueule presque tous les soirs avec mes parents, et toujours pour des conneries. Ils sont sans arrêt sur mon dos et ne posent jamais les bonnes questions: par exemple, savoir si je suis heureux.»

Anna, 12 ans:
«Moi j'ai surtout l'impression que je leur complique la vie. Dès que je leur demande un truc, ils en font tout un monde. Je voudrais bien qu'ils me fassent de temps en temps confiance et qu'ils me lâchent un peu les baskets…»

Séverine, 14 ans:
«J'ai l'impression de passer mon temps à les décevoir, de ne jamais être la fille qu'ils rêvaient d'avoir. Je voudrais bien pouvoir leur parler, dire ce que j'ai sur le coeur, mais personne ne m'écoute.»

Pauline, 15 ans:
«Je voudrais leur parler mais je n'y arrive pas. J'ai l'impression qu'ils ne m'écoutent jamais et que de toute façon ils pensent avoir raison sur tout.»

Raphaël, 15 ans et demi:
«J'ai tellement pas envie de rentrer chez moi, que le soir après le lycée, je traîne le plus possible avec mes copains. Quand je rentre, c'est le drame. Au lieu de se mettre en colère, ils pourraient se demander pourquoi je fais ça.»

1.9 📖

Et si on est trop aimé?

Avec certains parents il y a parfois des problèmes qui sortent un peu de l'ordinaire. Lisez cette lettre où un jeune – qui ne veut pas se faire connaître – décrit l'amour excessif de ses parents.

L'EXCES D'AMOUR EST-IL UN MAL?

Très jeune, mes parents m'ont gâté et «chouchouté» à l'extrême, ne me laissant jamais sortir de chez moi. Je n'ai jamais eu de réels contacts avec les enfants puis les adolescents de mon âge, et un sentiment d'infériorité est né en moi. Aujourd'hui, à 17 ans, j'en subis toujours les conséquences: j'ai de réelles difficultés à m'exprimer avec d'autres jeunes. Il m'est impossible de me faire des amis et je vis replié sur moi-même. Qu'ai-je fait pour mériter cela? Jusqu'où peut aller l'amour excessif d'un père et d'une mère?

> **gâter** *to spoil*
> **subir** *to undergo, suffer*
> **replié sur moi-même** *wrapped up in myself, introverted*

Qu'est-ce qu'il dit vraiment? Remplissez la grille.

Il dit	Vrai	Faux
1 Je ne sors jamais avec mes parents.		
2 Je n'ai pas le droit de sortir.		
3 Je n'ai pas l'occasion de me faire des amis.		
4 Je me sens moins capable que les autres.		
5 J'ai du mal à parler avec des ados.		
6 Je suis tout seul.		
7 Je suis d'une famille aisée.		
8 J'ai trouvé une solution à ce problème.		

1.10 ✍️

Impossibles, les parents!

Vous êtes rentré(e) à la maison à une heure du matin, ayant promis d'être de retour avant minuit. Ecrivez une centaine de mots sur la dispute qui a eu lieu entre vous et vos parents. Ecrivez seulement la conversation.

1.11 🎧

Moi et mes filles

Mais très souvent pour les rapports parents/enfants, ça se passe très bien. Ecoutez Claire, une mère de famille, qui parle de ses rapports avec ses filles. Cherchez et notez les détails suivants.

1 Claire a __3__ enfants.
2 Ses jumelles ont __12__ ans.
3 Avec sa fille aînée, elle ____ *trecopie è elle*
4 Ses rapports avec ses filles cadettes sont ____ *distance*
5 Claire croit que cela, c'est parce que ____ *elle jumelle*
problem diffentity

1.12 📖 ✍️

Parents — et amis

Les rapports entre parents et enfants, c'est un thème courant tant dans la littérature française que dans la vie elle-même. Dans *La Clé sur la porte*, un roman de Marie Cardinal, sont décrits les rapports très ouverts entre une mère de famille et tout un groupe de jeunes, les copains de ses enfants. Lisez cet extrait et complétez les exercices qui suivent.

La Clé sur la porte

J'en ai trois: un garçon et deux filles; Grégoire, Charlotte et Dorothée. A la suite d'événements qui ne sont pas dramatiques je les élève seule. Mon mari vit de l'autre côté de l'océan Atlantique. Nous passons nos étés avec lui, là-bas ou ailleurs. Au cours de l'année il y a des allées et venues, surtout au moment de Noël et de Pâques.

Ici, en France, nous vivons tous les quatre. Je devrais plutôt dire tous les dix, tous les vingt. Je ne sais pas exactement à combien nous vivons dans cet appartement. En fait, je n'ai pas de maison, j'ai un quatre-pièces qui appartient à mes enfants et à leurs copains dont le nombre est variable. Le centre du groupe est composé d'une douzaine d'adolescents, autour d'eux évoluent des «groupies».

Au début, quand j'ai dit à mes enfants que leurs amis étaient les bienvenus, je l'ai fait parce que je ne connais rien de meilleur que l'amitié et je voulais que mes enfants profitent très vite de ses plaisirs et de ses lois. Le partage, l'échange, ce n'est pas si simple. L'amitié c'est une bonne école pour la vie.

A Vrai ou faux? Corrigez les phrases inexactes.

1 Tous les membres de la famille habitent ensemble.
2 On se revoit quand il y a de grandes fêtes.
3 La famille partage l'appartement avec beaucoup de jeunes.
4 Marie croit qu'il est très important d'avoir des amis.
5 Ce qu'elle fait est contre la loi.

B Dans le même texte, notez comment on dit en français...

1 I'm bringing them up myself.
2 During the year.
3 All four of us.
4 I've got a four-roomed flat.
5 About a dozen teenagers.
6 At first...
7 It's not so easy.

C Maintenant inventez et écrivez cinq questions à poser à Marie au sujet de sa famille. Utilisez la forme «vous», et employez une forme interrogative différente pour chaque question.

D *A vous maintenant!*

Lisez ce résumé en anglais de l'extrait de *La Clé sur la porte*. En utilisant le texte pour vous aider, rendez-le en français.

Marie has three children but her husband doesn't live with the family. They live in a four-roomed flat which they share with many of her children's friends. The mother encourages these relationships because she believes that friendship is a good lesson for life.

1.13

Un père célèbre parle à sa fille

Lisez l'article suivant, tiré du magazine *OK*, dans lequel la fille de Gérard Blanc, un chanteur célèbre, interviewe son père.

Gérard Blanc

interviewé par sa fille Laura,

«Le plus important entre parents et enfants c'est de communiquer.»

Laura: *Quand tu avais mon âge, avais-tu la permission de minuit comme tu me l'accordes si gentiment?*

Gérard: Je pense que oui, peut-être moins souvent que toi. C'est vrai que tu l'as à chaque fois que tu le demandes. Il faut dire que tu sais bien gérer tes périodes de travail et de sorties. Et que lorsque tu demandes à sortir, c'est parce que tu as fini tes devoirs. Je n'ai donc pas de raison de te refuser ça.

* * *

Laura: *Quelle a été ta réaction lorsque je t'ai présenté mon petit ami?*

Gérard: Il y a un pincement au cœur, mais en même temps, c'est une grande bouffée de bonheur. Et je trouve ça formidable que tu me parles de tes amours sans gêne, comme moi, je peux aussi te raconter mes joies et mes chagrins si j'en ai.

* * *

Laura: *Penses-tu qu'à mon âge, on peut tout lire, voir tous les films, participer à toutes les conversations?*

Gérard: On peut tout lire et c'est de soi-même qu'on va décrocher si on ne comprend pas ce qu'on lit, ou si ça vous ennuie. Quant aux films, à partir du moment où tu regardes la télévision, il n'y a plus rien à t'interdire. Tu peux tout voir et je ne vais te poser un interdit imbécile mais j'espère que tu sais faire le tri.

* * *

Laura: *J'en apprends des choses grâce à cette interview!! Me laisserais-tu partir seule en vacances avec un copain ou une copine?*

Gérard: Ça dépend avec qui, ça dépend où. Si tu partais avec quelqu'un qui t'a déjà prouvé depuis un certain temps qu'il t'aime et réciproquement et si votre voyage avait une destination précise et qu'on puisse vous y joindre, je pense que je te laisserais partir quelques jours. Mais pas si tu me disais: «Salut, je pars avec mon sac à dos». Parce que je pense que tu aurais de petites chances de te faire avoir sur le chemin.

---

la permission de minuit *permission to stay out until midnight*

gérer *to organise, manage*

le pincement *twinge*

raconter *to tell (about)*

le chagrin *sadness, worry*

soi-même *oneself*

quant à/à la/à l'/au/aux *as for*

faire le tri *to be selective*

se faire avoir *to be duped, taken advantage of*

A Comme vous le voyez, le père de Laura est assez sympathique. Pourtant, il a quelques doutes. Copiez la grille et remplissez les cases avec les réponses de Gérard Blanc et aussi avec vos propres opinions.

	Conditions	*Votre avis*
1 la permission de minuit		
2 le petit ami		
3 les livres, les films		
4 les vacances sans parents		

B *A vous maintenant!*

Et vos parents, est-ce que leurs attitudes ressemblent à celles de Gérard Blanc? Exprimez en une centaine de mots leurs attitudes sur la permission de minuit, votre petit(e) ami(e) et les vacances sans parents.

C *Travail à deux*

Personne A: Vos amis vous ont invité(e) à les accompagner à un concert dans une ville à une cinquantaine de kilomètres de chez vous. Vos parents se montrent peu enthousiastes. Essayez de les persuader de vous laisser partir.

Personne B: Vous êtes le père/la mère de l'ado joué par votre partenaire. Vous vous inquiétez parce que vous avez entendu des histoires de drogue, de violence, etc aux concerts rock. Essayez de persuader votre fils/fille de ne pas aller au concert.

1.14

Les garçons se plaignent des filles

Selon le magazine *OK*, les garçons ont les opinions suivantes en ce qui concerne les filles.

1 INSUPPORTABLE, VOTRE TOTAL MANQUE D'INTERET

2 IMPARDONNABLE, LEUR MANQUE D'HUMOUR!

3 DESOLANTE, VOTRE ADMIRATION PLUTOT MIEVRE

4 EPUISANTE, LA PASSION SANS LIMITES!

5 REVOLTANTE, VOTRE FAÇON DE DRAGUER SES COPAINS

A Le magazine *OK* offre les explications suivantes aux filles. A vous de trouver l'explication qui correspond à chaque plainte des garçons.

a) Votre flirt est plutôt du genre marrant et il adore raconter des histoires drôles. Vous, ça vous laisse complètement froide et même la plupart du temps vous trouvez cela vulgaire.

(b) Faites très attention que les manifestations de votre passion ne dépassent pas un certain stade. En effet, si vous vous précipitez sur votre flirt à tout moment, au début ça ira, mais si ces démonstrations par trop impulsives se multiplient et surtout si elles se produisent devant ses copains, ça pourrait finir par tourner au vinaigre!

(c) Confusion. Même si de votre côté il n'y a aucune mauvaise pensée, les copains de votre flirt peuvent eux s'y méprendre et imaginer que vous leur faites des avances directes.

d) Vous jouez un personnage qui n'est pas du tout le vôtre, celui d'une fille affranchie, froide et distante, incapable de donner de l'amour.

e) Il vous a draguée, il a tout fait pour sortir avec vous. Vous, vous avez laissé faire.

CONSOLIDATION

👁 **Revoyez:** 1.13

✍ **Etudiez:**
Les pronoms personnels, p. 135

✋ **Exercez-vous:**

1 Rendez en anglais:
  a Avais-tu la permission de minuit comme tu me l'accordes si gentiment?
  b Tu l'as à chaque fois que tu la demandes.
  c …je t'ai présenté mon petit ami.
  d …tu me parles de tes amours sans gêne.
  e Je ne vais pas te poser un interdit imbécile.
  f … quelqu'un qui t'a déjà prouvé qu'il t'aime.
  g Je pense que je te laisserais partir.
  h … si tu me disais …
  i …tu aurais de petites chances de te faire avoir…

2 Comment dit-on en français …?
  a My parents leave me the choice.
  b If I said to you …
  c The future my parents wanted to give me.
  d He has no right to refuse me it.
  e Our parents don't put a ban on us.
  f She has already proved to me that she detests me.

mièvre *lukewarm, half-hearted*
draguer *to chat up*
épuisant *tiring, wearing*
marrant *lively, funny*
dépasser *to exceed*
le stade *limit, level*
se méprendre à *to misunderstand, misinterpret*
affranchi *liberated*

B Maintenant lisez ce deuxième extrait du même article et complétez l'exercice suivant.

▷ FATIGANTES, LES FILLES TROP COLLANTES

Même si votre flirt est très <u>amoureux de</u> vous, il a besoin d'un minimum de liberté ne serait-ce que pour voir les copains, <u>se détendre un peu</u>, exister en tant que garçon et non plus <u>uniquement</u> en tant qu'amoureux. Alors, laissez-le vivre sinon il se <u>lassera</u> bien vite de vous et de vos exigences permanentes. <u>Il y a un temps pour tout</u>: pour le flirt et pour les copains. Vous aussi d'ailleurs vous ne seriez pas particulièrement ravie d'avoir toujours votre flirt derrière vos baskets. Il y a des moments où il est super agréable de se laisser aller, de ne pas se maquiller ou se coiffer par exemple, de traîner avec un vieux jean et de ne voir personne. Les garçons ont exactement le même raisonnement, et ils veulent pouvoir se <u>sentir libres</u> de leurs faits et gestes sans toujours traîner derrière eux leur petite amie.

Comment dit-on en français?

1 in love with
2 even if it's only to
3 to relax a bit
4 solely
5 he will soon get tired of you
6 there's a time for everything
7 crowding you
8 to feel free

CONSOLIDATION

 Revoyez: 1.14

Etudiez:
Verbes réfléchis, p. 143

Exercez-vous:
Relisez les textes ci-dessus et à la page 17.

1 Cherchez d'abord tous les verbes réfléchis dans ces extraits.
2 Maintenant, utilisez les verbes que vous avez trouvés pour compléter les phrases ci-dessous:
   a Jeannine ...... et ...... toujours avant de sortir avec François.
   b Nous ...... libres sous le soleil du Midi.
   c Quand on travaille dur, on a besoin des vacances pour ......
   d Moi et Laurent, nous avons tendance à ...... sur les nanas avec des résultats désastreux. Elles préfèrent un peu de tact!
   e En vacances j'aime bien ...... aller.
   f Après avoir rencontré Paul, Annette ...... peu à peu de moi.
   g Tes problèmes semblent ...... quand tu es malade!

Revoyez: 1.14

Etudiez:
Le Futur, p. 145

Exercez-vous:

1 Notez tous les verbes au Futur dans le troisième extrait et expliquez en anglais les expressions dans lesquelles ils figurent.
2 Comment dit-on en français...?
   a The affair will work out rather well.
   b This will be the first time.
   c We will pay dearly.
   d That will give us a lot of pleasure.

C Dans le troisième extrait remplissez chaque blanc avec un des mots donnés ci-dessous. Mais attention! Vous allez utiliser chaque mot une fois seulement.

▷ EXASPERANT, VOTRE ART DE LE FAIRE TOUJOURS PAYER

C'est toujours *sympa* si l'envie lui en prend, que votre flirt vous *offre* un chocolat ou une place de ciné. Vous en serez *touchée* et lui ça lui fera *plaisir* parce qu'il l'a décidé, qu'il considère cela comme une sorte de *cadeau*. Mais si, systématiquement, vous n'avez jamais un *centime* sur vous lorsque vous sortez avec lui ça finira *mal*. Votre flirt n'est pas une machine à sous! Apprenez à *partager* de temps à autre les *dépenses* avec lui, et quand l'un ou l'autre paiera ce sera un cadeau, un *moyen* de faire plaisir.

dépenses   sympa   offre

touchée   plaisir

centime   cadeau

moyen   mal   partager

D *Travail à deux*

Personne A: Vous êtes au cinéma avec votre petit(e) ami(e) et vous insistez pour payer les places parce que c'est son anniversaire.

Personne B: Vous n'êtes pas d'accord, car vous êtes d'esprit indépendant. Répondez aux arguments de votre petit(e) ami(e).

1.15

Les filles se plaignent des garçons

Maintenant ce sont les filles qui donnent leurs opinions des garçons, en disant ce qu'elles ne supportent pas chez eux.

A Julie discute avec sa mère ce qu'elle en pense. Copiez la grille et remplissez-la en français, selon les avis de la mère de Julie.

	Oui	*Non*	*Pas sûre*
1 détestable, leur prétention	✓		
2 attristant, leur manque d'attention			
3 insupportable, leur jalousie	✓		
4 dramatiques, les maladroits		✓	
5 odieux, leur égoïsme	✓		
6 minable, leur besoin de se battre			
7 hyper-vexants, les dragueurs		✓	
8 épuisants, les vrais amoureux		✓	
9 redoutables, les bavards	✓		
10 énervants, les indifférents			✓

B *Travail à deux*

Choisissez trois qualités pour décrire votre petit(e) ami(e) idéal(e). Comparez-les avec les qualités que votre partenaire a choisies. Etes-vous d'accord?

C *A vous maintenant!*

Décrivez en une centaine de mots quelque chose que vous détestez chez les filles et qui, selon vous, ne se trouve pas chez les garçons. Choisissez et décrivez aussi un détestable trait de garçon qui ne se trouve pas chez les filles. Quelle doit être l'attitude de quelqu'un lorsque son/sa petit(e) ami(e) se conduit si mal?

Ça vous passionne?

Q uand on est jeune on a l'impression de passer tout son temps à étudier. Pourtant on ne peut pas passer toute sa vie à travailler! Il faut du temps pour se décontracter et pour se remettre en forme.

2.1

Deux jeunes Français parlent de leurs passe-temps

A Ecoutez Bernard qui parle de ses passions et de ses loisirs. Notez ce qu'il dit sur …

1 Les oiseaux
2 La photographie
3 Les avions
4 Les maquettes
5 La musique

un avion à réaction	*jet plane*
les maquettes	*models/kits*
l'Harlequin	*a series of short romantic novels*
véridique	*true to life*
à peu près	*about, roughly*
tout à fait	*completely*

B Fatima, elle aussi, parle de ses passions.
1 Notez en français ce qu'elle dit sur:
  a La danse
  b La lecture
  c La musique
2 Ecoutez Fatima encore une fois. Comment dit-elle …?
  a You need to practise a lot.
  b Not many teenagers like reading.
  c They're quite sad books.
  d That doesn't distract me at all.

2.2

Le weekend s'approche

Voici ce que pense Patrice du weekend typique chez les jeunes. Cet extrait est tiré d'un article du magazine *OK* où on fait une enquête sur les attitudes des jeunes en ce qui concerne le weekend.

Le lundi on a du mal à se lever mais, dès le vendredi, une merveilleuse énergie s'empare de nous. Demain ça va être la fête avec des tas de projets en perspective! Et puis l'essentiel c'est, dès midi, de ne plus avoir à supporter les cours.

Samedi soir sera forcément riche en événements puisqu'il n'y aura pas d'heure pour se coucher, pas d'heure pour se réveiller le dimanche matin. Tout le stress de la semaine va s'envoler et même les parents sont plus détendus, décidés eux aussi à profiter au maximum de leur weekend.

Dans l'absolu, c'est comme cela que ça devrait être, mais bien souvent les choses se gâtent. Les parents s'énervent dès le samedi après-midi avec toutes les courses à faire dans les magasins bondés. Epuisés le soir ils ne diront pas forcément oui pour la boum, la boîte ou le bal où vous aviez l'intention de vous rendre avec votre bande.

Et puis vous, vous n'avez pas pensé à prévenir Noémie, Florence ou Bruno et, alors que vous tentez de les joindre par téléphone, personne ne décroche. Et, s'ils étaient partis en week-end avec leurs parents? Aïe, aïe, aïe!

Allez-vous passer encore un weekend à vous ennuyer ferme entre les braillements de la petite soeur ou du petit frère, la promenade hygiénique du chien et la profusion de feuilletons et de jeux-télé? Tout dépend de vous. Car un weekend ça s'organise et, même si vous ne faites pas toujours exactement ce que vous souhaitez, il y a toujours des moyens pour vous en sortir au mieux.

---

s'emparer de *to seize*
s'envoler *to fly away, run off*
se gâter *to spoil, go wrong*
prévenir *to warn*

A En relisant le texte ci-dessus, indiquez les phrases avec lesquelles Patrice est d'accord – et vous?

	Patrice	*Vous*
1 Au début de la semaine on est plein d'enthousiasme.		
2 Quand le weekend arrive on n'a plus de force.		
3 Théoriquement, le weekend, toute la famille est décontractée.		
4 Quelquefois le weekend, ça se passe mal.		
5 Pas besoin de fixer les rendez-vous à l'avance. Les copains sont toujours là.		
6 Même si les copains sont partis, la vie familiale peut être intéressante.		
7 On peut toujours trouver quelque chose d'intéressant à faire.		

B Lisez le texte encore une fois et écrivez l'équivalent de chacune des expressions suivantes.

1 Il est difficile de …
2 Enormément de …
3 La chose la plus importante
4 Disparaître
5 Tournent mal
6 Pleins de monde
7 Essayez
8 Quel désastre

C *Travail à deux*

Personne A: C'est le weekend et vous vous ennuyez ferme à la maison. Votre père/mère vous propose des moyens de faire passer le temps. Montrez votre lassitude et cherchez une objection contre chaque idée proposée.

Personne B: Essayez de persuader votre fils/fille de faire quelque chose pour s'occuper. Trouvez au moins cinq idées et justifiez votre choix en expliquant pourquoi chaque suggestion serait une bonne idée.

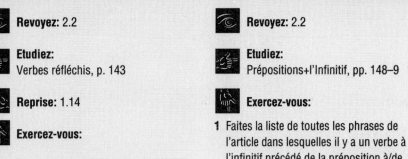

CONSOLIDATION

👁 **Revoyez:** 2.2

✋ **Etudiez:**
Verbes réfléchis, p. 143

✋ **Reprise:** 1.14

✋ **Exercez-vous:**

Relisez ce que dit Patrice en faisant attention aux verbes réfléchis, puis rendez en français les phrases suivantes:

1 I have difficulty getting up.
2 Tiredness took hold of me.
3 There's no set time for me to go to bed.
4 All the problems are going to disappear.
5 I get fed up when Monday comes!
6 I'm going to spend a weekend enjoying myself.
7 A party was organised.
8 I made the most of it.

👁 **Revoyez:** 2.2

✋ **Etudiez:**
Prépositions+l'Infinitif, pp. 148–9

✋ **Exercez-vous:**

1 Faites la liste de toutes les phrases de l'article dans lesquelles il y a un verbe à l'infinitif précédé de la préposition à/de. Nous vous avons donné un exemple:

à	de
on a du mal *à se* lever	l'essentiel est *de ne* plus avoir

2 Maintenant, écrivez dix phrases, en utilisant ces structures dans des exemples personnels.
Par exemple: J'ai du mal à parler allemand.

2.3

Quelques conseils

Le magazine *OK* a donné quelques conseils à ses lecteurs pour les aider à profiter d'un weekend sans parents – c'est-à-dire deux jours de vraie grande liberté!

C'est d'abord le weekend où l'on fait vraiment ce que l'on a envie de faire, mais sans abus, sans excès.

1 Apprenez à doser, vous ne vous en sentirez que mieux.
2 Consacrez un temps à vos activités favorites, un autre à ne rien faire en apparence, sauf récupérer et vous détendre.
3 Le weekend, pour être bénéfique, doit différer en tout du reste de la semaine.
4 Un minimum d'organisation vous aidera à profiter au mieux de votre temps sans jamais vous ennuyer.

5 Le système de la carotte-récompense, ça marche toujours. Par exemple, si vous avez pris la précaution de donner rendez-vous la veille à vos copains pour le dimanche vers 15 heures, vous pourrez soit traîner le matin, soit faire le reste de vos devoirs, mais le coeur léger parce que vous savez que vous allez passer un super après-midi ensuite.
6 Ne vous épuisez pas, ne vous laissez pas non plus envahir par la langueur. Sinon vous seriez dans un drôle d'état d'esprit et une pensée vraiment idiote viendrait vous effleurer: «Vivement lundi!»

A Que pensez-vous de ces conseils? Donnez votre opinion sur chacun, en remplissant la grille:

bonne idée	idée moche	pourquoi

B *A discuter et à décider*

Enfin, *OK* vous propose une liste de «choses à ne jamais faire» et une liste de «choses possibles» pendant un weekend sans parents.

A ne jamais faire

- **Inviter** tous vos copains pour une mégaboum qui ne s'achèvera que très tard dans la nuit avec musique à fond, cris et hurlements de joie. Et les voisins alors? Vos parents seraient au courant dès leur retour.
- **Sécher** les cours du samedi matin. Pas très malin…
- **Vider** le réfrigérateur et oublier de le remplir pour le retour de vos parents.

Les choses possibles

- **Aller** au cinéma, à la patinoire ou faire du shopping.
- **Eventuellement** aller en boîte ou en boum, mais pas pour draguer!
- **Traîner** dans la baignoire, d'habitude la salle de bains est toujours sur-bookée!
- **Jouer** au Trivial, au Scrabble ou à un quelconque jeu de société.

Peut-être votre liste de conseils serait-elle beaucoup plus intéressante? Discutez en groupes de trois ou quatre et établissez deux listes sur les titres «choses à ne jamais faire» et «choses possibles». Il faut inclure dans chaque liste au moins une idée suggérée par chaque membre du groupe.

CONSOLIDATION

Revoyez: 2.3

Etudiez:
Le Futur, p. 145

Reprise: 1.14

Exercez-vous:

1 Faites la liste de tous les verbes au Futur qui se trouvent dans le texte «C'est d'abord…».
2 Mettez tous ces verbes à la première personne au singulier et au pluriel.
3 Interprétez en français ces propos de votre ami(e) anglophone:

a I will help you.
b He'll be in a funny mood!
c I shall feel better tomorrow.
d We'll be able to play in the evening.
e That won't be funny!

Revoyez: 2.3

Etudiez:
L'Impératif, pp. 142–3

Exercez-vous:

1 Mettez au singulier les impératifs (=ordres) dans le texte.
2 Tout en utilisant les impératifs dans le texte comme guide, interprétez pour un(e) ami(e) français(e) les ordres suivants:
a Learn to relax.
b Devote an hour to practice.
c Don't get exhausted at work!
d Don't let yourself be overcome by despair.

2.4

Le temps libre

Cet extrait de *La Peste*, d'Albert Camus, décrit les loisirs des habitants d'Oran, en Algérie, dans les années quarante.

Une manière commode de faire la connaissance d'une ville est de chercher comment on y travaille, comment on y aime et comment on y meurt. Dans notre petite ville, est-ce l'effet du climat, tout cela se fait ensemble, du même air frénétique et absent. C'est-à-dire qu'on s'y ennuie et qu'on s'applique à prendre des habitudes. Nos concitoyens travaillent beaucoup, mais toujours pour s'enrichir. Ils s'intéressent surtout au commerce et ils s'occupent d'abord, selon leur expression, de faire des affaires. Naturellement, ils ont du goût aussi pour les joies simples, ils aiment les femmes, le cinéma et les bains de mer. Mais, très raisonnablement, ils réservent ces plaisirs pour le samedi soir et le dimanche, essayant, les autres jours de la semaine, de gagner beaucoup d'argent. Le soir, lorsqu'ils quittent leurs bureaux, ils se réunissent à heure fixe dans les cafés, ils se promènent sur le même boulevard ou bien se mettent à leurs balcons. Les désirs des plus jeunes sont violents et brefs, tandis que les vices des plus âgés ne dépassent pas les associations de boulomanes, les banquets des amicales et les cercles où l'on joue gros jeu sur le hasard des cartes.

A Lisez l'extrait et notez les activités mentionnées dans le texte.

Activités pratiquées pendant la semaine	Activités pratiquées pendant le weekend

B

1 Notez pourquoi, à votre avis, certaines activités ne se pratiquent plus.
2 Est-ce que l'attitude de Camus envers les habitants est plutôt positive ou négative? Donnez vos raisons.

---

lorsque *when*
entouré de *surrounded by*
que ce soit … ou … *whether it be … or …*
se foutre *not to give a damn*
laid *ugly*
sinon *otherwise, apart from that*

2.5

Les passions et les passe-temps de Frédéric Château

Très souvent, on profite du weekend pour s'adonner à un passe-temps préféré. Voici un extrait d'un article, tiré du magazine *Salut*, où Frédéric Château, un musicien professionnel, parle de ce qui le passionne. D'abord, les animaux.

la vie passionnante de FREDERIC CHATEAU

Si Frédéric Château a choisi la musique, c'est par passion avec un grand P. Depuis l'âge de huit ans, il a signé un pacte d'amour avec elle. Cependant, il lui arrive de l'abandonner parfois pour assouvir d'autres passions … la cuisine, le sport, les animaux. Il nous en parle.

LES ANIMAUX

Lorsque tu vis à Paris, ou même en France, tu sais que tu habites dans un pays où les animaux tiennent une place importante. Il y a aussi l'Angleterre où les bêtes sont très présentes. Depuis mon plus jeune âge, je vis entouré d'animaux, j'ai grandi en leur compagnie. Ils m'ont toujours fait rire … L'animal est la spontanéité même. L'âge ne change rien à leur comportement à ton égard. Que ce soit des chiens ou des chats, ils ne t'abandonnent jamais. Ils se foutent que tu sois riche, pauvre, grand, petit, beau, laid … ils restent fidèles. Ils savent quand tu vas bien ou quand tu vas mal. Je les aime tous. Oh! il y a peut-être une exception, les araignées, je n'en raffole pas trop, je dois dire. Mais sinon tous les autres, je les aime d'amour … pour toujours!

A Lisez la section «Les Animaux» et écrivez en français les réponses aux questions suivantes.

1 Selon Frédéric, qu'est-ce qui unit la France et l'Angleterre? Vous êtes d'accord?
2 Quelle est l'attitude de Frédéric envers les animaux? Et la vôtre?
3 Qu'est-ce qu'il apprécie surtout chez les animaux? Et vous?
4 Qu'est-ce que les animaux peuvent remarquer chez leurs maîtres?.

B Et maintenant enrichissez votre vocabulaire! Les adjectifs suivants se trouvent dans ce que dit Frédéric au sujet des animaux. A vous de trouver (avec ou sans dictionnaire) le nom qui correspond à chacun.

adjectif	nom
important	
jeune	
riche	
pauvre	
grand	
beau	
laid	
fidèle	

CONSOLIDATION

👁 **Revoyez:** 2.5

✋ **Etudiez:** Adjectifs, p. 138

✊ **Reprise:** 1.7

👉 **Exercez-vous:**

1 Ecrivez une liste des adjectifs qui se trouvent dans le texte. Notez ceux qui se terminent par *e* au masculin singulier.

2 Trouvez dans cette liste des adjectifs appropriés pour remplir les blancs (n'oubliez pas les accords):

a Elle avait un fiancé ....

b ...... garçon!

c Il avait perdu ...... ses chaussures.

d Un bienfaiteur ...... avait payé le stade.

e Elle jouait un rôle ....

f Pagnol est un ...... écrivain.

g Les accidents arrivent toujours aux ...... gens.

h Le chômage est très ...... dans les villes industrielles.

2.6

Frédéric Château et la cuisine

LA CUISINE

Au demeurant, je ne suis pas un fan de cuisine. J'entends par là que mettre les petits plats dans les grands n'est pas ma tasse de thé … Je laisse ça aux professionnels. Moi, je préfère manger la cuisine des autres. Vu mes origines italiennes, mon plat favori, ce sont les pâtes. Surtout celles de chez Graziano. C'est Orlando, mon producteur, qui m'a fait découvrir cet endroit il y a sept ans. Depuis, j'y suis chez moi: Graziano aime recevoir et sait recevoir, son restaurant est chaleureux, pas snob … On y est tranquille. Les rares fois où je fais l'impasse sur ses spaghettis, j'adore prendre le filet Mascarpone et comme dessert le fameux gâteau aux deux chocolats. Le jour où tu y goûtes, c'est fini!, tu es accro de ce gâteau…

A Dans la suite de l'extrait que vous avez lu (2.5), Frédéric parle d'une autre passion – la cuisine. Lisez ce qu'il dit et trouvez les mots qui ont le même sens que…

1 warm/friendly
2 to entertain
3 by that I mean
4 in view of
5 I don't eat
6 hooked on
7 moreover
8 to go to great expense

B Avant d'écrire cet article, le reporter avait trouvé quelques notes faites par un autre journaliste. En fait, il a trouvé ces notes presque inutiles et il a dû les corriger selon les attitudes de Frédéric. A vous de faire les corrections pour lui!

Par exemple:

1 Au contraire, Frédéric préfère manger la cuisine des autres.

1 F. Château adore cuisiner des plats compliqués.
2 Il adore le pâté.
3 Il n'a pas de restaurant préféré.
4 Il ne mange que rarement les spaghetti.
5 Il est végétarien.
6 Il se soucie de sa ligne.

C *A vous maintenant!*

Et vous? Vous êtes passionné(e) par la cuisine? Ecrivez une centaine de mots sur ce qui vous attire/ne vous attire pas à la cuisine comme passe-temps.

2.7

La troisième passion de Frédéric Château, c'est le sport

LE SPORT

Le sport, au-delà d'être une nécessité, est un besoin chez moi. Chaque jour, qu'il pleuve, qu'il vente ou qu'il neige, je cours mes cinq kilomètres. J'ai choisi la course parce que cette discipline t'oblige à aller jusqu'au bout ... au bout de l'effort, au bout de tes possibilités. Tu ne peux à aucun moment tricher ... A l'arrivée d'une course, seuls les meilleurs restent. Lorsque j'ai un peu de temps, j'adore voir de grands sportifs pratiquer leur art. Mon idéal est Noah, c'est un type entier, il essaie de jouer au mieux en acceptant ses défauts, ses traits de caractère ... J'oubliais, le vélo! Connais-tu un sport plus dur que celui-là ... Je vénère les gens qui sont entiers et dévoués corps et âme à leur sport.

A Lisez la section et notez ce qu'il aime et pourquoi...

Ce qu'il aime	Parce que

B En vous référant au texte à gauche, rendez en français:

Frederic loves all sports, especially running. When he runs, he needs to push himself to the limit. He admires sportsmen who never cheat, who accept their faults, and who devote themselves totally to their discipline.

2.8

Plus ça change...

Vous n'avez peut-être plus les mêmes centres d'intérêt que lorsque vous étiez plus jeune. Ecoutez Anne-Sophie, 21 ans, qui vous parle de ce qu'elle aimait faire lorsqu'elle était ado.

A Il y a certaines différences entre ce qu'elle dit et le texte suivant. A vous de noter les différences.
Par exemple:
«Quand j'avais 17 ans j'aimais beaucoup la musique, et je jouais de la flûte traversière ainsi que le solfège.»
Notez: jouais/pratiquais

«Euh, j'étais intéressée par cet instrument et maintenant que je ne le fais plus je le regrette beaucoup. J'étais aussi attirée par le sport: je faisais de la gymnastique, deux fois par semaine; du volley, du handball et également du basketball. Quand j'avais 17 ans également, c'est l'époque où j'adorais sortir en soirée, les premières soirées, les premières boums, les sorties au cinéma avec les copains, les copines et les bonnes parties de plaisir et de rigolade. Je, je n'étais pas très attirée par la lecture, au contraire, contrairement à maintenant. Mais, par contre, je, à ce temps-là, j'étais attirée par le hockey sur glace. C'est un sport qui me passionnait beaucoup mais maintenant je suis beaucoup moins attirée par celui-ci.»

B Maintenant écrivez le texte ci-dessus à la troisième personne en racontant ce qu'elle aimait faire quand elle était plus jeune.
Par exemple, «elle s'intéressait à»...

C Relisez ce que Frédéric Château a dit sur la cuisine (voyez 2.6). Imaginez que ses goûts ont maintenant beaucoup changé et qu'il parle de ce qu'il aimait faire autrefois. Rédigez le texte à l'imparfait.
Par exemple:
«... mettre les petits plats dans les grands *n'était pas* ma tasse de thé. Je *laissais* ça aux professionnels...»

D *Travail à deux*

Chacun à son tour! Découvrez les passions d'aujourd'hui et du passé de votre partenaire en lui posant des questions comme celles-ci:

Avec qui...? Quand...? Depuis quand...? Où...? Comment...? Pourquoi...?

Notez en français les réponses de votre partenaire et présentez-les au groupe.

2.9

Les jeunes et la lecture

Fatima a déjà parlé un peu de la lecture comme passion, mais il paraît qu'aujourd'hui la lecture est moins populaire chez les jeunes. Mais est-ce que la lecture est vraiment en train de disparaître?

A Ecoutez une bibliothécaire, Anne-Louise Durand, qui parle de la lecture chez les jeunes. Répondez en français aux questions suivantes.

1 Depuis combien de temps travaille-t-elle dans cette bibliothèque?
2 Qu'est-ce qu'elle dit sur les jeunes de seize à vingt-cinq ans?
3 Quelle est l'influence de la famille sur les jeunes en ce qui concerne la lecture?
4 Qu'est-ce que la lecture vous apporte, selon elle?

B *Remplissez les grilles*

1 Anne-Louise a l'idée que «les adolescents ont beaucoup de mal à lire».

	pourquoi?	*êtes-vous d'accord?*
a		
b		
c		

2 Anne-Louise pense que les jeunes…

	s'intéressent plutôt à	*êtes-vous d'accord?*
a		
b		
c		
d		
e		
f		

C Enfin, trouvez comment Anne-Louise dit…

1 Especially teenagers…
2 It interests them.
3 Everything to do with…
4 There's quite a lot of people.
5 They need to escape.

2.10

Une romancière parle de la lecture

La romancière Annie Ernaux, ancienne professeur, a aussi des idées sur la lecture et les jeunes. Lisez cet extrait d'une interview avec elle pour connaître ses idées plutôt originales.

> ***Lisez! Lisez! C'est le leitmotiv des profs de français. Vous êtes écrivain, romancière, vous avez été professeur, vous aussi. C'est donc si irremplaçable que cela, la lecture?***
>
> Evidemment, moi je réponds oui, la lecture, c'est irremplaçable, parce que toute ma vie a été conditionnée par les livres. Je disais toujours à mes élèves au premier cours: «C'est vital de lire.» Je ne leur parlais pas de littérature avec un grand L, je leur disais: «Ouvrez un livre, n'importe lequel ... science-fiction, histoire ... Vous avez une passion pour les étoiles? Lisez des bouquins scientifiques sur le ciel...» J'insistais sur l'utilité d'acquérir le langage dominant, de
>
> maîtriser un outil de base.
>
> Quand on lit, on s'imprègne – sans douleur – de mots, de structures grammaticales. C'est un atout formidable d'avoir du vocabulaire, de pouvoir choisir le mot juste, de jouer avec les différents registres de la langue, de pouvoir, à la sortie du cinéma, quand on a aimé le film, dire autre chose que: «C'est super.» Aux plus vieux, j'expliquais que la littérature peut aussi nous aider à nous comprendre, nous, même si on n'a pas encore l'expérience de ce dont parle le livre. La lecture accumule l'expérience des autres, on emmagasine dans son inconscient des choses qui serviront plus tard.

A ***A discuter et à décider***

Après avoir lu le premier paragraphe, croyez-vous qu'Annie Ernaux était un bon professeur? Pourquoi/pourquoi pas? Discutez avec un partenaire ou en groupe, puis écrivez un court résumé des opinions exprimées, en donnant votre conclusion.

B Trouvez dans le deuxième paragraphe trois avantages qu'apporte la lecture, et exprimez-les – en français – en vos propres mots.

2.11

Fureur de lire

Ecoutez Yann-Lukas Le Liboux, journaliste pour le journal quotidien *Ouest-France*, parler d'un phénomène culturel qui s'est établi en France.

A Lesquelles des phrases suivantes s'appliquent à la «Fureur de lire»?

1 La Fureur de Lire existe depuis très longtemps déjà.
2 Les responsables de cet événement ont quelque chose en commun.
3 Ça dure toute une semaine.
4 On a l'occasion d'écouter des textes lus par leur auteur.
5 Dès le début, la Fureur de Lire a connu un succès fou.

B Ecoutez encore une fois M. Le Liboux. A vous de compléter ce qu'il dit entre le début et la fin de chacune des phrases suivantes.

1 Elle ____ le Ministère de la Culture.
2 Tous les gens qui ____ la vie culturelle.
3 des libraires ____ bien entendu.
4 ce qui est d'ailleurs ____ c'est pas de lire soi-même.
5 les gens ____ pendant deux jours.

2.12

Faites le résumé

Lisez le court article ci-dessous.

et côté bouquins

Dernièrement, vous avez lu un livre que vous avez adoré. Faites-le découvrir aux autres.

En quelques lignes résumez l'histoire et dites pourquoi elle vous a plu. Nous publierons vos lettres dans notre nouvelle rubrique «. . . et côté bouquins». Grâce à cette rubrique, *Salut!* vous fera découvrir ce qui se fait de mieux en Science-Fiction, BD ou roman.

Vous voulez faire connaître un livre que vous avez aimé? Ecrivez à *Salut!* «. . . et côté bouquins», 13, rue de la Cerisaie, 75004 Paris.

Vous avez lu un livre intéressant et vous voulez le faire découvrir aux autres. Écrivez une centaine de mots où vous résumez ce dont il s'agit. Expliquez pourquoi vous l'avez aimé.

2.13

Les mots ou les ondes?

Si la lecture ne vous intéresse pas, c'est peut-être les ondes qui vous captivent? Mais, vous savez, la radio, ce n'est pas seulement la musique. Dans la banlieue parisienne, un groupe d'élèves ont fondé leur propre station de radio.

A Rambouillet, dans la banlieue parisienne, des centaines d'élèves concoctent des émissions et réalisent des reportages pour Fréquence-Collège du Rondeau.

«Il est 11 heures et 2 minutes sur FCDR. Vous écoutez Etienne— Etienne *de Guesh Patty!»* Depuis 6 heures du matin, FCDR-Fréquence Collège du Rondeau émet sur 99.4. Et en cette fin de matinée, la station, nichée dans les 310 mètres carrés d'un ancien dortoir de la cité scolaire de Rambouillet est en effervescence.

Dans l'un des trois studios, des élèves de 3ᵉ technologique se succèdent au micro. Juste à côté, au local de production, Béatrice, Caroline et Delphine, toutes trois élèves de 1ʳᵉ A, enregistrent leur émission théâtrale. 16 heures d'antenne par jour, 112 par semaine, la grille de programmation est impressionnante: plusieurs flashes d'infos chaque jour, une revue de presse, des dizaines d'émissions hebdomadaires, littéraires ou musicales, sur le cinéma ou la mode, sur la mécanique ou la musique, sur le sport ou les sciences et techniques.

Pour réaliser toutes ces émissions, plus d'une centaine d'élèves, techniciens, journalistes ou animateurs réguliers, montent à la station dès qu'ils ont une heure de perm. A moins que le programme ne soit fabriqué par des classes entières qui prennent en charge des tranches horaires.

CONSOLIDATION

Revoyez: 2.12

Etudiez:
L'Impératif, pp. 142–3
Les Verbes, pp. 142–5

Reprise: 1.14, 2.3

Exercez-vous:

Parmi tous les verbes dans cette petite annonce il y a quatre impératifs, deux verbes au Présent, quatre au Passé Composé et deux au Futur. Trouvez-les et remplissez les cases:

Impératifs	Présent	Passé composé	Futur

A Lisez l'article pour trouver les détails suivants et remplissez la grille.

Nom de la station	
Lieu	
Fréquence	
Heures des programmes	
Types d'émissions	
Participants	
Disponibilité	

2.14

Le petit écran

Est-ce que la télévision domine trop la vie culturelle? Lisez cet article tiré d'*Ouest-France.*

Les pratiques culturelles des Français

Le petit écran a bien grandi

La radioscopie de notre culture, au sens large car elle n'écarte ni le lecteur de magazines de bricolage, ni la passionnée de romans de gare, conforte d'abord les petites impressions de tous les jours. Oui, la télévision tient une place grandissante dans la vie des Français. Oui, le livre est boudé par les jeunes générations. Oui, ce sont toujours les mêmes qui apprécient pièce de théâtre, concert, expo de peinture ou ballet…

Télé, hi-fi magnétoscopes…

Reine de ces quinze années: la technique. Malgré la crise économique, les foyers se sont largement dotés des téléviseurs, chaînes hi-fi, magnétoscopes, qui diffusent aujourd'hui à pleins tubes une «culture d'appartement» comme l'appellent les auteurs de cette enquête.

Le «boom musical» s'explique ainsi. L'écoute de disques et de cassettes a doublé. Toutes les catégories de population, du teen-ager au papy, ont pris de l'oreille, et tous les genres de musique en bénéficient peu ou prou. Chanson, rock, jazz, classique et opéra.

La radio, dont l'audience pâlit légèrement face à la toute puissance télévisuelle, résiste à l'usure mieux que prévu grâce à l'audience des stations FM. Et quand les Français quittent leur «chez-soi» douillet, c'est pour aller écouter leurs chanteurs préférés, du rock ou du jazz. C'est en effet la seule sortie culturelle qui fasse aujourd'hui plus d'adeptes qu'hier. L'année dernière, huit millions de Français se sont offert un concert. «La musique a envahi notre vie.»

B A vous maintenant!

Ce qui est certain, c'est que ces ados ont un grand enthousiasme pour leur projet. Imaginez qu'on vous demande de présenter à la Fréquence Collège votre propre passion. Préparez votre émission, qui devrait durer deux minutes, enregistrez-la, et puis laissez entendre la classe.

C

Relisez le paragraphe «Dans l'un des trois … les sciences et techniques» et rendez-le en anglais.

A

Répondez «vrai» ou «faux» aux phrases suivantes.

1 Cette enquête confirme ce que l'on savait déjà sur les pratiques culturelles des Français.
2 Parce qu'ils n'ont pas assez d'argent moins de Français s'offrent un téléviseur.
3 Les Français ont moins tendance à sortir pour s'amuser.
4 Les jeunes écoutent de plus en plus la musique classique.
5 La radio résiste à la concurrence télévisuelle.
6 Les concerts de musique sont mieux fréquentés qu'autrefois.

B

Maintenant trouvez dans l'article le français pour:

1 the TV screen
2 exclude
3 DIY
4 ignored by
5 homes
6 broadcast
7 kinds, sorts
8 more or less
9 better than expected
10 fan, follower

C *Travail à deux*

Personne A: Votre corres français(e) est chez vous. Vous avez réussi à obtenir deux billets pour un concert. Malheureusement il/elle préfère rester à la maison et regarder une émission à la télé. Persuadez votre corres de vous accompagner. Donnez au moins trois raisons.

Personne B: Vous préférez regarder la télé et vous ne voulez pas sortir. Répondez aux arguments de votre corres.

2.15 📖 ✍️

«*On voit tout, on n'apprend rien...*»

On reproche souvent à la télévision son influence nocive sur les jeunes. Voici ce qu'en pense un sociologue américain qui a été interviewé par le magazine hebdomadaire *L'Express*.

A Lisez cet extrait de l'interview de *L'Express*. Notez en français les idées du sociologue pour et contre les effets de la télévision.

B Pensez-vous que le sociologue est plutôt pour ou contre la télévision? Etes-vous d'accord avec lui? Dressez votre propre liste des arguments pour et contre la télévision.

C Dans l'article vous trouverez beaucoup de vocabulaire abstrait qui traite de la télévision et des autres médias. Apprenez à le répertorier. Pour vous aider à vous familiariser avec votre nouveau vocabulaire, complétez l'exercice ci-dessous. Nous avons déjà rempli le premier exemple pour vous montrer comment faire.

Nom	Adjectif	Verbe
persévérance	*persévérant*	*persévérer*
	critique	
concentration		
		initier
	éducatif	
		encourager
	ignoré	
rapport		
		révéler
enseignement		
	sensible	
écriture		
		remarquer
réflexion		

D *A vous maintenant!*

Choisissez **1** ou **2**.
1 Ecrivez environ 150 mots sur votre passion ou votre passe-temps préféré.
2 Ayant lu l'avis du sociologue américain sur les effets dits nocifs de la télévision, écrivez une lettre à *L'Express* où vous défendez le rôle éducatif de la télé. Ecrivez environ 150 mots.

— *Mais, enfin, pourquoi ne pourrait-on pas se cultiver en s'amusant?*

— Apprendre, cela exige de l'effort, de la concentration, de la persévérance, de l'esprit critique, du raisonnement... Pas de l'amusement. Le plaisir visuel n'est pas suffisant. Sauf peut-être pour s'initier aux recettes de cuisine. Des programmes comme «Sesame Street» [émission de spectacle éducatif quotidienne de PBS destinée aux moins de 5 ans] n'encouragent les enfants à aimer l'école qu'à condition qu'elle ressemble à la télévision! C'est-à-dire qu'elle devienne, elle aussi, un grand show.

— *Les enfants qui ont vécu depuis toujours avec la télévision seraient donc, selon vous, différents des autres?*

— La télévision a changé notre conception de l'enfance. Ce qui faisait jusque-là la différence entre un adulte et un enfant, c'était que le premier connaissait certaines choses de la vie ignorées du second, concernant, par exemple, la politique, la sexualité, les rapports sociaux ... C'est en s'initiant à tout cela, au fil des années, que l'enfant devenait un adulte. Or, aujourd'hui, la télévision révèle tous les secrets et, de ce point de vue, abolit l'enfance. L'enseignement, aussi, en est affecté. Les professeurs le remarquent. Les enfants de la télé semblent plus sensibles aux arts visuels que ceux d'autrefois. D'un autre côté, leurs aptitudes à l'écriture, à la lecture, au raisonnement logique ont décliné depuis trente ans. Nombre d'enseignants affirment qu'ils doivent désormais faire la classe en multipliant les stimulations visuelles, car les élèves n'ont plus la patience de se concentrer longuement sur l'écrit, qui exige réflexion et analyse. Actuellement, nous connaissons une crise majeure de l'éducation parce que nous quittons la culture du livre et que nous allons vers celle de l'image électronique.

---

au fil des années *as the years go by*
or *now*
sensible *sensitive*
désormais *from now on*

«*Passe ton bac d'abord!*»

COURS DE FRANCAIS POUR ETRANGERS

idefle

*Institut de Développement
et d'Enseignement
du Français Langue Etrangère*

A 16 ans on fait des projets, on rêve d'un avenir de liberté ou peut-être de l'amour mais les parents, eux, ont tendance à voir les choses autrement, et on les entend souvent dire, «Passe ton bac d'abord!»

RÉPUBLIQUE   FRANÇAISE

MINISTÈRE DE L'ÉDUCATION NATIONALE

ACADÉMIE D ORLEANS TOURS

DIPLÔME DU BACCALAURÉAT DE L'ENSEIGNEMENT DU SECOND DEGRÉ

Vu le procès-verbal de l'examen du Baccalauréat de l'Enseignement du Second Degré établi le 4 JUILLET 1986 par le Président du Jury, enseignant à l'Université,

Le Diplôme du Baccalauréat de l'Enseignement du Second Degré

en B - SERIE : ECONOMIQUE ET SOCIAL

est conféré à MLE BRAUN CORINNE ROLANDE SUZANNE , à ORLEANS (045)

né(e) le 16 SEPTEMBRE 1968

pour en jouir avec les droits et prérogatives qui y sont attachés.

Fait à ORLEANS , le 8 SEPTEMBRE 1986
Pour le Ministre de l'Éducation Nationale et par délégation :
Le Recteur de l'Académie D ORLEANS TOURS
Signé : XAVIER GREFFE

Pour expédition conforme :
Le Secrétaire général de l'Académie

J. PINAULT

Signature du titulaire :

N° 45CC92286

EXAM. DIP. BSD 86-1

3.1

Séjours linguistiques

A l'approche des examens – ou même avant – pas mal de jeunes font un séjour linguistique dans le pays dont ils étudient la langue.

A Lisez cette partie d'un article tiré du journal, *Le Figaro*, et répertoriez tous les termes (il y en a une douzaine) qui se rapportent à l'enseignement, par exemple: séjours linguistiques.

B Trouvez dans le texte un mot ou une expression qui a le même sens que chacune des expressions suivantes.

1 ce qu'ils ont déjà appris
2 parce qu'ils ne durent pas longtemps
3 sont différents
4 ceux qui étudient l'allemand

Séjours à l'étranger: les langues intensément...

Des dizaines de milliers de jeunes mettent à profit les petites vacances scolaires pour améliorer leurs connaissances linguistiques en se rendant à l'étranger.

Vacances de Noël, de février, de printemps: le temps des séjours linguistiques à l'étranger est revenu. Et des dizaines de milliers d'écoliers, de collégiens, de lycéens, d'étudiants vont mettre à profit leurs petits congés scolaires pour améliorer leurs connaissances en langue étrangère. Traditionnellement, en raison de leur courte durée, ces séjours se distinguent des stages d'été par un caractère plus intensif des apprentissages, mais aussi par le choix de destinations relativement proches: Grande-Bretagne et Irlande — mais très rarement Etats-Unis et Canada — pour ceux qui s'intéressent à la langue de Shakespeare, Allemagne et Autriche pour les germanistes, Italie et Espagne, etc. Il existe aussi des séjours «hors vacances scolaires», également assez brefs, souvent destinés aux enseignants et à leurs classes ainsi que des possibilités de séjour à l'étranger durant une année entière...

LA GAMME DES FORMULES

La gamme des possibilités est suffisamment vaste pour répondre à tous les types de demandes. Les familles ont notamment le choix entre des séjours:

1°/ «En famille sans cours», qui permettent à des jeunes déjà assez mûrs et capables de se débrouiller dans la langue du pays de partager entièrement la vie quotidienne d'une famille.

2°/ «En famille avec cours individuels», séjours qui présentent tous les avantages de l'immersion totale mais introduisent également des devoirs contrôlés, à domicile, par un enseignant.

3°/ «En famille avec cours collectifs»: si le système de l'immersion familiale est maintenu, il s'accompagne d'une bonne dose d'activités collectives. Les élèves se retrouvent l'après-midi pour suivre des cours, faire du sport, des excursions ou des visites de monuments, etc.

4°/ «Hébergement avec cours collectifs»: dans cette formule, plus de contact avec une famille mais un hébergement dans un collège, un foyer ou une résidence, avec des cours et d'autres activités collectives.

5°/ «Echange»: ce type de séjour linguistique où le jeune Français est reçu dans une famille étrangère puis accueille un jeune étranger chez lui est surtout proposé par les collèges et lycées publics et privés.

apprenez le français en FRANCE au carrefour de l'Europe

C Lisez maintenant la deuxième partie de l'article. Ces cinq jeunes ont tous fait des séjours à l'étranger pour améliorer leurs connaissances en langue étrangère. D'après ce qu'ils racontent, décidez quel séjour mentionné dans le texte ils ont choisi.

François «Je ne voulais pas rester chez des inconnus car je préfère faire partie d'un groupe.»

Jean-Luc «Je ne voulais pas être avec mes compatriotes et mes parents ont voulu aussi que mes études soient surveillées.»

Alain «Ma famille a l'esprit vraiment européen, donc on a pu donner autant que l'on a reçu.»

Justine «Je suis trop âgée pour suivre des cours de collège et d'ailleurs je parle déjà couramment la langue.»

Nicole «Rester dans une famille, c'est bien, mais je voulais aussi retrouver mes copains assez souvent.»

D Lequel des programmes proposés vous intéresserait le plus? Ecrivez une trentaine de mots pour expliquer votre choix.

E *Travail à deux*

Personne A: Au cours de votre séjour linguistique en France, un professeur français vous interviewe sur vos expériences. Vous avez choisi une des cinq formules de l'article. Répondez aux questions du professeur en ce qui concerne votre logement, vos activités, impressions du séjour.

Personne B: Vous êtes le professeur et vous posez des questions sur les détails de son séjour; logement, activités, opinions...

3.2

«*Je suis en révisions pour mon bac*»

Lisez cette lettre qu'une jeune Française a écrite à sa corres pour expliquer le système du bac en France.

A Dans la lettre trouvez l'équivalent des mots ou des expressions suivants.

1 'streams'
2 good at
3 I sat
4 test
5 continuous assessment
6 an average
7 to resit
8 I've got a lot on my plate.

B Lisez la lettre encore une fois puis répondez en français à ces questions.

1 Pourquoi Ariane donne-t-elle ici les détails de son bac?
2 Est-ce qu'Ariane a choisi le bac B selon ses préférences ou plutôt selon son niveau?
3 Quelles matières sont obligatoires pour tous les élèves?
4 Comment est-ce que l'épreuve d'allemand est différente des autres?
5 Comment sait-on que la gym est facultative?
6 Si l'on n'obtient pas la moyenne, qu'est-ce qu'on doit faire?
7 Comment sait-on qu'Ariane ne sort pas beaucoup en ce moment?
8 Quels projets d'avenir Ariane envisage-t-elle?

C Vous envisagez d'écrire une lettre à votre corres français qui vous a demandé d'expliquer votre système d'examens. Faites une liste des détails importants, matières, examens, système de notes, projets d'avenir, etc.

Bourges le 25 Mai

Chère Liz,

Je suis toujours en révisions pour mon bac. Puisque tu m'as demandé des explications sur cet examen, je vais essayer de te résumer comment cela se passe.

Il existe plusieurs filières et l'élève choisit en fonction de ses goûts et de son niveau. Voici les cinq grandes catégories:
A: littéraire - B: économique - C: Maths - Physique
D: Sciences - G: gestion et des bac techniques (électronique etc...)

Moi, j'ai choisi B parce que je suis forte en économie et en Histoire-géo et pas excellente en maths! L'an dernier, j'ai passé, comme tous les élèves de 1ère, l'épreuve de Français: une dissertation écrite en 4 heures et un oral de vingt minutes. Cette année, nous passons tous la philo, début juin, puis les matières de notre section en trois jours. C'est dur! Moi je vais passer les épreuves suivantes: maths (4 heures), sciences économiques (4"), Histoire-géo (3") anglais (4"), et l'Allemand à l'oral.

La gym est notée tout au long de l'année (contrôle continu) j'ai choisi volley et gymnastique artistique.

Il faut, avec toutes mes notes, que j'obtienne une moyenne de 10/20 pour être reçue. Si j'ai entre 8 et 10, j'ai une seconde chance, je peux repasser à l'oral deux matières où j'ai eu de mauvaises notes - c'est ce qu'on appelle le rattrapage.

Comme tu le vois, j'ai du pain sur la planche. Je révise tous les soirs au moins trois heures.

Je m'occupe aussi d'organiser une grande fête avec tous mes copains pour la fin des examens! ça c'est plus sympa!

Je voudrais bien avoir mon bac car mes parents me donneront de l'argent pour aller en vacances et ma grand-mère m'offrira des leçons pour mon permis de conduire - Et l'an prochain j'irai en Faculté à Tours

J'espère que tu as moins de travail que moi!
Bonjour à ta famille.

A bientôt
Bises   Ariane

3.3

Louise parle de son bac

Ecoutez Louise, une autre jeune Française, qui parle de son bac.

A Louise est en première et notre reporter lui a posé des questions sur ses études. Voici les questions auxquelles elle a répondu. A vous de les ranger dans l'ordre où on les a posées au cours de l'interview.

1 Est-ce que vous serez obligée de redoubler?
2 Quel métier comptez-vous suivre plus tard?
3 Quelles sont les conséquences de la grève des profs?
4 Quel bac préparez-vous?
5 Vers quelle carrière pourriez-vous vous orienter autrement?
6 Vous êtes en quelle classe?
7 Est-ce qu'il y a eu des problèmes cette année?
8 Quand est-ce que vous saurez ce que vous allez faire?

B Après avoir vérifié l'ordre de ces questions, écrivez le résumé de cette interview avec Louise, à la troisième personne. Commencez avec «Louise est en première et elle a choisi…»

3.4

Les profs devraient-ils faire grève?

Sébastien, un camarade de classe de Louise, se plaint, lui aussi, des problèmes qu'il a rencontrés cette année. Il écrit à son journal régional pour exprimer son inquiétude. Sa lettre est imprimée ci-dessous mais il y a des blancs là-dedans. A vous de remplir les blancs en choisissant parmi les mots dans la liste. Mais attention! Vous n'allez pas utiliser tous les mots.

Des profs à tout faire

Les profs — la grève des notes … la grève des conseils de classe … la grève des effectifs … Pourquoi? — ils vraiment tort? Je pense que non! Quel est le _____ du prof: doit-il informer, transmettre le _____, ou nous éduquer? Peut-il remplir ces deux rôles d'une _____ satisfaisante? A mon _____, le prof doit avant tout transmettre ses connaissances en développant notre esprit critique. Ensuite il a la _____ de nous éduquer, de nous _____, de provoquer notre curiosité, enfin de nous rendre _____. Dans mon lycée, certains profs ont ces qualités et _____, malgré le nombre d'élèves, à nous _____ pour l'anglais, l'espagnol, la biologie et _____ le français. Alors pour un bon _____ ne faut-il pas revaloriser les _____?

autonomes	enseignants
ont	succèdent
avis	enseignement
passionner	surtout
développement	façon
rôle	tâche
difficiles	font
réussissent	tache
entraîner	former
savoir	tort

3.5

Une question d'argent?

Lisez cet article d'*Ouest-France* qui explique la situation des professeurs en grève en Belgique.

Belgique
Les profs en grève depuis un mois

1 «**Ils font mai 68 avec plus de vingt ans de retard**» dit ironiquement Michel Weber, directeur-adjoint de cabinet du ministre Jean-Pierre Grafé, responsable de la scolarisation des 6–12 ans. Le secondaire et le supérieur dépendent de son collègue Yvan Yllief. Côté flamand, un seul ministre gère l'Education.

2 La Belgique francophone dépense 140 millions de francs belges (23 milliards de francs français) par an pour un million d'élèves et 100 000 enseignants. Mais depuis dix ans, les salaires des professeurs n'ont pas été revalorisés. L'année dernière, après trois ans d'austérité, le gouvernement central promettait 2% d'augmentation à toute la fonction publique. Et puis une réforme est intervenue. Ce sont les communautés francophone et flamande qui ont hérité de l'Education. Mais la première, moins riche que la seconde, s'est trouvée dans l'impossibilité d'honorer l'engagement gouvernemental.

Chèques-repas

3 En juin dernier, MM. Yllief et Grafé ont offert aux enseignants

des chèques-repas: «**Pourquoi pas des bons pour acheter des blouses ou des chaussures?**» ont répondu ceux-ci qui se sont sentis bafoués. La colère est montée.

4 Le véritable enjeu est une revalorisation tant financière que morale de la profession. Les familles se déchargent de plus en plus sur l'école. Les heures supplémentaires ne sont pas payées comme telles et les jeunes ne sont guère attirés par le métier. «**Bientôt**, dit-on, **il y aura des classes sans prof et

sans surveillant**».

5 Selon les sondages, la moitié de la population soutient les grévistes. «**Mais tout le monde en a assez, les parents sont plutôt excédés, les professeurs sont moralement perturbés**» explique le père de Deckers qui dirige le collège jésuite Saint-Michel.

6 La Belgique a besoin d'une réforme en profondeur de son système scolaire. Mais, avant tout, la question d'argent doit être réglée pour que renaisse la confiance. ●

A Les sous-titres suivants ont été supprimés de l'article. Choisissez, pour chaque paragraphe, le titre qui convient le mieux.

1 Ras-le-bol!
2 Professeurs insultés
3 Salaires des fonctionnaires bloqués
4 Argent avant adaptation
5 Problèmes multiples
6 Retour en arrière

B Dans l'article, trouvez le français pour...

1 made fools of
2 what is really at stake
3 (they) shift the responsibility onto
4 overtime
5 exasperated

C

Les mots dans la grille à droite sont utilisés dans le même article. A vous de remplir les blancs dans cette grille, en trouvant la forme demandée. Si vous voulez, utilisez un dictionnaire.

D *Travail à deux*

Personne A: Vous êtes le parent d'un(e) élève d'un lycée où les profs font grève. Vous êtes en colère et vous devez expliquer au prof de votre enfant pourquoi vous n'êtes pas content — pas de bulletins, pas de conseils de classe, devoirs pas corrigés, examens qui approchent … Vous avez peur pour l'avenir de votre enfant.

Personne B: Vous êtes le professeur et vous comprenez le parent de votre élève mais vous tenez ferme. Expliquez les raisons de la grève — baisse de salaire, heures supplémentaires non-payées, trop de travail, pas de temps pour se distraire. Essayez de persuader le parent que c'est pour le bien de son enfant à long terme.

Nom	Verbe
directeur	
	dépenser
enseignant	
	promettre
augmentation	
	répondre
engagement	
	gérer
réforme	
	reprendre

E *A vous maintenant!*

Rendez en français…

In the French-speaking part of Belgium, the secondary school teachers have been on strike for several months. The government, which promised them that their salaries would be increased, has not kept its word. The strikers, and the families of their pupils, are very angry. According to the opinion polls the country needs, first and foremost, a radical overhaul of its school system.

3.6

Anne parle de ses profs

Ecoutez Anne qui parle de ses profs d'une manière plutôt franche

A

Remplissez la grille avec les détails de ses profs.

Matière enseignée	Age	Caractère	Autres observations

B Ecrivez une phrase pour dire lequel des profs d'Anne vous préférez et pourquoi. Discutez avec le groupe – êtes-vous tous d'accord?

C Parmi ces huit caractéristiques de profs, laquelle trouvez-vous la plus et la moins importante? Expliquez votre choix en écrivant une phrase pour chaque qualité.

sévère
patient
renseigné
dynamique
organisé
compréhensif
amusant
rigoureux

3.7

Les copies de français corrigées

A Bien sûr, les profs critiquent souvent le travail de leurs élèves. Voici quelques commentaires plutôt sévères – mais longs aussi. Dans la liste suivante, trouvez l'équivalent simple pour chaque avis du prof.

1

«Le sujet a été compris et tu as fait un effort pour construire ton devoir, mais le vocabulaire reste terne et pauvre. Des confusions de mots. Il faut lire davantage».

2

«Vous avez compris, mais l'expression et le style sont fort moyens … Des fautes d'orthographe inadmissibles!»

3

«Début de devoir hors sujet en raison d'une interprétation erronée».

4

«Réflexion trop mince; surtout, devoir trop abstrait. Il faut absolument étayer la pensée d'exemples».

5

«Ton introduction n'annonce pas de plan articulé; ton devoir n'est donc pas construit». – «Les arguments sont placés dans un ordre décroissant».

6

«La succession des idées n'est pas toujours cohérente, pas toujours logique».

a *VOUS MANQUEZ D'IDÉES*

b *VOUS MANQUEZ DE VOCABULAIRE*

c *VOUS FAITES BEAUCOUP DE FAUTES*

d *VOUS ETES SOUVENT HORS SUJET*

e *VOUS NE SAVEZ PAS ARGUMENTER*

f *VOUS NE SAVEZ PAS FAIRE DE PLAN*

"Fautes de grammaire, fautes d'orthographe, manque d'idées, mauvais plan…"

Ah!

Je constate tout de même que cette fois je ne suis pas HORS SUJET!

B *A vous maintenant!*

Renversez les rôles! Rédigez un bulletin sur un prof imaginaire plein de défauts, en utilisant les expressions que vous avez rencontrées ici et en section 3.6.

CONSOLIDATION

Revoyez: 3.7

Etudiez:
Le Passé Composé, pp. 143–4

Exercez-vous:

La grille ci-dessous contient les Infinitifs de plusieurs verbes que vous avez rencontrés dans «Les copies de français corrigées». Remplissez la colonne de droite, en donnant la forme appropriée du Passé Composé de chaque verbe. Pour vous aider, un exemple est déjà fait.

Exemple:

construire	je	j'ai construit
1 rester	on	
2 lire	nous	
3 falloir	il	
4 étayer	vous	
5 annoncer	elles	
6 décroître	tu	
7 manquer	je	
8 faire	ils	
9 savoir	on	
10 argumenter	vous	

Résumé:
Philippe travaillait dur depuis longtemps mais n'était pas content de ses professeurs. Cependant, après avoir écrit avec cette méthode il a trouvé que ça allait beaucoup mieux. Maintenant Philippe a plus d'argent pour s'adonner à ses livres parce qu'il n'oublie plus ce qu'il a appris et il doit faire moins de devoirs. Après avoir lu une fois seulement une longue liste de provisions, Philippe s'en souvient parfaitement. Avant d'acheter cette méthode, il apprenait l'anglais depuis quelques mois sans arriver à se faire comprendre. Maintenant il lit l'anglais sans difficulté. En effet, il parle deux fois plus vite qu'auparavant et en moins de trente minutes il peut saisir les idées principales d'un livre entier.

3.8

Une découverte inoubliable

A Lisez cette publicité qui vous invite à acheter une méthode d'études infaillible. Puis lisez le résumé ci-dessous à gauche, qui contient 10 différences.

A vous de les trouver et de les corriger en vous référant à la publicité originale. (Ne faites pas attention aux soulignements.)

Comment j'ai découvert le moyen d'étudier plus avec moins d'effort
et de réussir à tous mes examens

Pendant longtemps, j'ai été un élève tout à fait moyen. J'avais l'impression de travailler mais j'avais des résultats médiocres. Aujourd'hui tout a changé. Je retiens tout ce que je veux en ayant plus de loisirs qu'avant. Comment est-ce possible, me direz-vous? C'est très simple. J'ai découvert qu'il existe des méthodes de travail qui permettent de retenir beaucoup plus en deux fois moins de temps et avec moins de fatigue. Je retiens également beaucoup plus longtemps. Ainsi lorsque les révisions arrivent je n'ai presque rien oublié.

Une mémoire infaillible. Prenons le cas de la mémoire. C'est important dans les études: il y a tellement de choses à emmagasiner dans la mémoire! J'ai constaté que des techniques très simples permettent, par exemple, de retenir instantanément, après une seule lecture, une liste de 50 mots quelconques. J'ai également découvert comment on peut «vraiment parler» une langue étrangère en 6 mois, alors qu'après quatre années d'anglais, j'étais incapable de converser.

J'ai doublé ma vitesse de lecture. Un autre exemple: après un entraînement facile, j'ai augmenté de 50% ma vitesse de lecture et je pense que j'arriverai bientôt à la doubler. Dans la même méthode, j'ai découvert un procédé qui permet de connaître l'essentiel d'un livre en une heure. Tout cela me fait gagner un temps fou.

Le jour de l'examen, j'avais tous mes moyens. J'ai aussi appris à être sûr de moi, à me détendre nerveusement, à connaître les aliments qui sont indispensables au travail intellectuel. Au moment de l'examen, j'étais bien prêt, sans appréhension. J'ai combattu mon émotivité grâce à quelques conseils simples que tout le monde peut suivre. Depuis, j'ai réussi tous mes examens. Je pourrais vous donner bien d'autres détails sur tout ce que cette méthode m'a apporté. Mais si vous avez vraiment le désir de multiplier votre efficacité dans vos études, demandez, comme je l'ai fait un jour, la brochure offerte ci-dessous. Renvoyez le coupon tout de suite, car actuellement vous pouvez profiter d'un avantage supplémentaire intéressant.
(Texte établi d'après le témoignage de M. Philippe D… à Antibes.)

✂ - - - - - - - - - - - - - - - - - -

GRATUITS! 1 brochure + 1 test

Découpez ce bon et renvoyez-le à Service X, Centre d'Etudes, 1, av. Stéphane-Mallarmé, 75017 Paris. *Veuillez m'envoyer votre brochure gratuite «La méthode infaillible pour réussir études, examens et concours» et me documenter sur l'avantage indiqué. Je joins 3 timbres pour frais (étranger: 5 coupons-réponse).*

Mon nom:...Prénom: ....

Mon adresse complète ....

Code postal:..................Ville:...

B Après avoir lu cette publicité dans *Phosphore*, vous voulez vous renseigner davantage. Ecrivez une lettre à Service X en donnant les détails suivants: votre âge, matières étudiées, problèmes scolaires, critiques faites par vos profs.

Posez aussi des questions sur le prix et la durée de cette méthode. Trouvez une autre question que vous pourriez poser sur cette méthode.

CONSOLIDATION

Revoyez: 3.8

Etudiez:
Les Verbes, pp. 142–5

Exercez-vous:

Complétez le tableau en mettant chaque verbe souligné dans le texte dans la colonne appropriée.

Impératif	Présent	Futur	Passé Composé	Imparfait

3.9

A l'internat

A Ecoutez Monique qui parle de sa vie à l'internat. Remplissez la grille suivante.

	Pour	*Contre*
Internat		
Chez soi		

B *A discuter et à décider*

Discutez, à deux ou à trois: «L'internat — pour ou contre». Pendant la discussion une personne doit prendre des notes et mener la discussion à une conclusion qui va être présentée à la classe.

C Trouvez dans le monologue de Monique une autre façon de dire:

1 j'ai du mal à
2 parce que
3 il faut se coucher à 10h
4 n'importe quand
5 quand on a envie de
6 ça peut déranger
7 j'ai besoin de tranquillité
8 rester silencieux
9 s'accommoder avec les autres

3.10 📖

Sondage

Le magazine *Phosphore* a fait un sondage auprès des lycéens sur le rôle du lycée. Copiez et remplissez la grille pour montrer comment votre lycée remplit son rôle.

L'ECOLE NE VOUS DONNE PAS UN METIER...			
Pour chacun des points suivants, pouvez-vous dire si l'école y prépare bien, assez bien, assez mal ou très mal			
	😃	🙂	🙁 😞
Maîtriser les connaissances de base			
Acquérir une bonne culture générale			
Acquérir les méthodes de travail			
Parler les langues étrangères			
Travailler en équipe			
Se sentir à l'aise dans la société			
Devenir autonome			
Connaître le monde du travail			
Acquérir une pratique professionnelle			
Affronter la compétition			

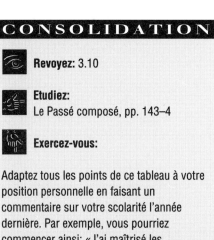

CONSOLIDATION

👁 **Revoyez:** 3.10

✋ **Etudiez:**
Le Passé composé, pp. 143–4

✍ **Exercez-vous:**

Adaptez tous les points de ce tableau à votre position personnelle en faisant un commentaire sur votre scolarité l'année dernière. Par exemple, vous pourriez commencer ainsi: «J'ai maîtrisé les connaissances de base dans mes matières principales, mais je n'ai pas acquis une bonne culture générale, ...»

3.11 📖 ✍

Qu'est-ce que c'est que le programme Erasmus?

A Lisez ce que dit le délégué culturel français sur le programme Erasmus. Puis étudiez les phrases à la page suivante – certaines sont vraies, d'autres fausses. Cochez la case appropriée (voir la page 44).

« *Le programme Erasmus, c'est un programme européen dont le but essentiel est d'encourager la mobilité entre les institutions universitaires de différents pays européens. Alors, mobilité aussi bien au niveau des enseignants. Le programme Erasmus a connu un succès immense, – je crois d'ailleurs, trop immense, puisque ça, en fait, posait un certain nombre de problèmes, c'est qu'il y a eu trop de candidatures et qu'en fait le résultat a été que ce que recevait chaque étudiant individuellement pour aller étudier dans une université dans un autre pays était souvent totalement insuffisant pour lui permettre de subsister. Mais c'est certainement une conception intéressante parce que ça permet à des gens d'aller suivre, je crois que c'est un minimum d'un trimestre et un maximum d'un an dans un établissement universitaire d'un autre pays. Et ce qui est intéressant, c'est que c'est reconnu par l'établissement d'origine. Donc, c'est ... bon il y a plein d'autres programmes européens comme ça, mais ça a été un des tout premiers à être lancé et c'est certainement un programme qui a connu un très, très grand succès.* **»**

	vraie	fausse
1 Le programme Erasmus est destiné aux lycéens.		
2 Les participants ont la possibilité de travailler ailleurs.		
3 Le programme n'a pas vraiment réussi.		
4 Malheureusement, peu d'étudiants s'y intéressent.		
5 Les bourses sont insuffisantes.		
6 La durée minimum du programme est de deux mois.		
7 Le diplôme obtenu est valable dans tous les pays du monde.		
8 Il y a d'autres programmes pareils dont on peut bénéficier.		

B Rendez en anglais le passage du texte «Alors, mobilité …
l'établissement d'origine.»

C *A vous maintenant!*

Choisissez **1** ou **2**.

1 Vous voulez être avocat(e) en Europe ou bien créer votre propre
entreprise d'import-export? Le programme Erasmus pourrait vous
servir! Posez votre candidature auprès du directeur du programme.
Ecrivez une lettre où vous donnez des renseignements sur vous-même
(âge, études, projets d'avenir) et dites pourquoi vous voulez profiter de
ce programme (améliorer vos connaissances d'un pays étranger ou
d'une langue étrangère par exemple). Ecrivez 120 mots environ.
2 Ecrivez une courte lettre où vous vous plaignez des profs de votre
lycée qui font la grève depuis deux mois. Expliquez pourquoi vous
n'êtes pas content et pourquoi vous avez peur pour vos études. Ecrivez
120 mots environ.

Unité 4 *Gourmet ou Gourmand?*

Pour les Français, bien manger, c'est quelque chose de très important. Malgré le rythme de plus en plus effréné de la vie moderne, la gastronomie reste pour beaucoup de Français un des grands plaisirs de la vie.

4.1

Pourquoi manger?

Ecoutez ce que dit Chantal Dubois, une ménagère française, au sujet de la cuisine française.

A Vérifiez que vous avez bien compris en écrivant «vrai» ou «faux».

1 En France on ne mange que pour se nourrir.
2 Chantal ne sait pas l'origine du mot «copain».
3 Souvent un repas, ça ressemble à une fête familiale.
4 A table on parle tellement qu'on ignore ce qu'on mange.
5 Les Français font les courses avec soin.

B Vous avez bien compris ce qu'a dit Chantal? Faites des phrases en utilisant les mots donnés. Par exemple:

les Français – partager – famille

Les Français aiment partager leur repas avec leur famille.

1 copain – personne – pain
2 repas – durer – après-midi
3 Français – gourmets – gourmands

C *Travail à deux*

Et la nourriture, qu'est-ce que ça signifie pour vous? Est-ce une nécessité ennuyeuse, une tentation, ou bien un des grands plaisirs de la vie? Discutez avec un(e) partenaire, en utilisant les questions ci-dessous pour vous aider.

– Où est-ce que vous mangez le soir?
– Combien de temps mettez-vous à dîner?
– Le repas de famille quotidien, est-ce un événement important de la journée?
– Qu'est-ce que vous faites en mangeant?
– Vous mangez avec qui?

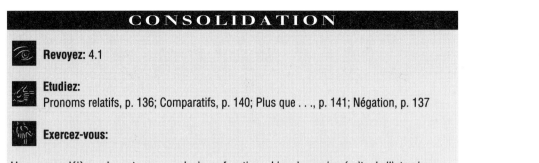

CONSOLIDATION

Revoyez: 4.1

Etudiez:
Pronoms relatifs, p. 136; Comparatifs, p. 140; Plus que . . ., p. 141; Négation, p. 137

Exercez-vous:

Vous savez déjà que le mot «que» a plusieurs fonctions. Lisez la version écrite de l'interview avec Chantal Dubois, que votre prof va vous fournir. Chaque fois que vous rencontrez le mot «que», classifiez-le en l'écrivant dans la section appropriée de la grille ci-dessous selon les traductions anglaises. Pour vous aider, le premier exemple est déjà fait.

que=*that*	que=*which*	que=*what*	que=*than*	que=*only*
on dit que				

4.2

Un goût simple

Dans son roman *La Place*, Annie Ernaux, dont on a parlé dans l'unité 2, décrit la façon dont son père mange. Lisez cet extrait et répondez aux questions.

Pour manger, il ne se servait que de son Opinel. Il coupait le pain en petits cubes, déposés près de son assiette pour y piquer des bouts de fromage, de charcuterie, et saucer. Me voir laisser de la nourriture dans l'assiette lui faisait deuil. On aurait pu ranger la sienne sans la laver. Le repas fini, il essuyait son couteau contre son bleu. S'il avait mangé du hareng, il l'enfouissait dans la terre pour lui enlever l'odeur. Jusqu'à la fin des années cinquante, il a mangé de la soupe le matin, après il s'est mis au café au lait, avec réticence, comme s'il se sacrifiait à une délicatesse féminine. Il le buvait cuillère par cuillère, en aspirant, comme de la soupe. A cinq heures, il se faisait sa collation, des oeufs, des radis, des pommes cuites et se contentait le soir d'un potage. La mayonnaise, les sauces compliquées, les gâteaux, le dégoûtaient.

1 Qu'est-ce que le père utilisait pour manger?
2 Comment réagissait-il quand sa fille ne mangeait pas tout?
3 Pourquoi laissait-il toujours son assiette très propre?
4 Qu'est-ce qu'il mangeait, le matin, qui sortait un peu de l'ordinaire?
5 Qu'est-ce qui nous montre que, dans sa jeunesse, il n'avait pas l'habitude de boire le café?
6 Quelle sorte de cuisine lui plaisait?
7 A votre avis, quelle sorte de cuisine préférait sa fille?

4.3

Un repas pour des amis

Mademoiselle Delouche vit seule mais elle prend plaisir à cuisiner pour ses invités. Ecoutez-la qui décrit un repas qu'elle ferait pour des amis.

A Notez ce qu'elle dit en complétant les phrases suivantes.

1 aujourd'hui, on …
2 de temps en temps, on …
3 quand elle reçoit des amis, elle …
4 elle leur sert …
5 comme fromage …
6 on boit …
7 comme dessert …

B Maintenant notez et écrivez comment elle dit …

1 we still enjoy good meals
2 we have less time
3 convenience foods
4 friends who come from abroad …
5 at the last minute …
6 I have a bit of a sweet tooth.

CONSOLIDATION

 Revoyez: 4.2

Etudiez:
L'Imparfait, p. 144

 Exercez-vous:

1 Identifiez tous les verbes à l'Imparfait qui se trouvent dans le texte.
2 Ecrivez une phrase pour chaque verbe à l'Imparfait, en utilisant la première personne (au singulier ou au pluriel).
Par exemple:
Je me servais de l'ordinateur pour en trouver les détails.

4.4

Les fondues

Mais on n'a pas toujours besoin de mettre les petits plats dans les grands quand on reçoit des amis. Une tradition française et suisse, et qui ne coûte pas trop cher, c'est la fondue.

Lisez ce que dit Christine Martin sur les fondues.

> *Il y a en fait deux types de fondue. Il y a la fondue bourguignonne, où on trempe des morceaux de viande dans l'huile bouillante et puis après on a trente-six sauces différentes. Et puis la fondue savoyarde qui est faite avec du fromage et du vin blanc et dans laquelle on trempe des morceaux de pain. Alors, la fondue savoyarde, c'est pas très léger parce que quand le mélange pain, vin blanc et fromage est dans la casserole c'est liquide ça, mais une fois vous l'avez dans l'estomac, ça redevient relativement solide.*

A Mais l'important de la fondue, c'est surtout son aspect social. Ecoutez Christine et Sylvain qui expliquent ce que leur apporte une soirée-fondue.

Comment disent-ils …?

1 when I want to have friends round …
2 to spend quite a pleasant evening …
3 each person makes their own contribution…
4 it enables us all to be together…
5 we can talk about all sorts of things…
6 it's not something you do every week…
7 it's something you can do when there are a few of you…

B *A discuter et à décider*

Vous préparez une soirée-fondue avec quelques amis et vous devez établir ce que chaque invité va apporter au repas. Pourtant vous avez du mal à vous décider entre une fondue bourguignonne et une fondue savoyarde. Chaque personne doit préciser ce qu'elle va apporter et pourquoi. Une personne doit noter la liste et le groupe doit conclure par faire une décision selon le type de fondue.

C *A vous maintenant!*

Christine et Sylvain ont donné des renseignements sur l'aspect social de la fondue. Le texte de ce qu'a dit Sylvain est ci-dessous. Cependant, on a fait certains changements. A vous d'écouter et de corriger le texte. (Ne faites pas attention aux soulignements.)

Une fondue, c'est pas pour tous les jours, c'est plutôt occasionnelle ou quand <u>on a vraiment envie</u>, envie non seulement de la fondue mais envie aussi de se réunir tous <u>pour se voir, se parler</u>. La fondue, c'est quelque chose qu'on fait en groupe, c'est drôle parce qu'on a des petites fourchettes, <u>on essaie de</u> prendre la viande, de la mettre à fondre dans ce, dans ce bain d'huile, euh, ensuite, euh, <u>on peut se faire mal</u> aux doigts et, <u>je veux dire</u>, <u>ça permet,</u> de, de, de rire, de de, bon, j'sais pas, c'est une sorte de récréation.

4.5

Pourquoi pas manger du cheval?

Si la fondue est peut-être connue chez vous, il reste quand même certaines spécialités qui ne sont pas encore bien connues hors de la France. On pense, par exemple, aux cuisses de grenouilles, et aux escargots. Mais en France on trouve également dans chaque ville, l'enseigne de la boucherie chevaline soit dans la rue soit sur le marché.

Lisez cet article où Michel Bonnard, un boucher chevalin, défend son métier.

INTERMARCHÉ
Les Mousquetaires de la Distribution

OPERATION CHEVAL

POUR TOUT LE MOIS D'AOÛT

	le kg	
ROSBIF DE CHEVAL		**53.90**F
BIFTECK DE CHEVAL		**53.90**F
PIECE A ROTIR		**53.90**F
SAUCISSON DE CHEVAL		**29.90**F

BOURGES CHEMIN DE TURLY

A cheval sur les principes!

Si manger du cheval pose des problèmes d'éthique pour certains, ne pouvant imaginer un instant ce noble animal dans l'assiette, d'autres s'en accommodent très bien, puisque la viande de cheval est très saine.

Michel Bonnard, dont le métier est de préparer et de vendre de la viande de cheval sur les marchés de Bourges et d'Henrichemont, insiste sur la qualité de ce produit: «Les clients adeptes de la viande de cheval préfèrent celle-ci au boeuf, parce que c'est meilleur à consommer et on est au moins sûr que lorsque l'on en consomme, la bête n'a pas subi d'apport d'hormone! Elle est au pâturage, un point c'est tout».

Auparavant, semble-t-il, on consommait beaucoup plus de cette chair; maintenant elle est considérée comme une viande de luxe car son prix est élevé.

Gustativement parlant, son goût n'est pas si éloigné du boeuf et on peut l'accommoder de la même façon: «Cette viande, précise Michel Bonnard, est plus sucrée et surtout plus maigre que la viande de boeuf».

La fraîcheur est de rigueur. Chaque jour, il «épluche» les quartiers de viande, et fabrique lui-même les produits, les saucisses, de manière artisanale.

A Quels avantages M. Bonnard trouve-t-il à la viande de cheval? Cherchez au moins six avantages et notez-les.

Quel inconvénient M. Bonnard constate-t-il?

Et vous, trouvez-vous d'autres inconvénients en ce qui concerne la viande de cheval? Ecrivez des notes «pour» et «contre».

B *A vous maintenant!*

En vous servant de l'article pour vous aider, rendez en français le texte suivant.

Some people cannot get used to the idea of eating horse-meat. However, it has many advantages and, as far as taste is concerned, is not unlike beef. But nowadays it is a luxury product and is very expensive.

C *Travail à deux*

Un soir, la mère de votre corres sert de la viande de cheval.
Personne A (mère): expliquez les avantages de manger de la viande de cheval.
Personne B (invité(e)): refusez poliment, en expliquant pourquoi vous ne voulez pas en manger.

4.6

Qu'est-ce que c'est que la Tarte Tatin?

Une spécialité française qui va provoquer sans doute moins de controverse, c'est la célèbre Tarte Tatin. Ecoutez d'abord Karine qui explique les origines de celle-ci.

A Les phrases suivantes décrivent la même histoire mais elles ne sont pas dans le bon ordre. A vous de les ranger correctement.

1 Pendant qu'elles servaient la tarte celle-ci est tombée par terre.
2 Deux femmes cuisinaient dans un restaurant.
3 La tarte, par bonheur, a été une grande réussite.
4 La Tarte Tatin a ses origines dans le centre de la France.
5 Elles n'ont pas mis longtemps à choisir les ingrédients.
6 Elles n'ont pu préparer le plat commandé parce qu'elles étaient pressées.

B Ecoutez encore Karine. Comment dit-elle …?

1 I must tell you about
2 about 20km from Orléans
3 in the centre of France
4 were busy cooking
5 in a hurry
6 as they were about to put it on the table…

la pâte brisée	shortcrust pastry
napper	to cover with a(nother) layer
tasser	to press down

C Maintenant Karine va vous donner la recette de la Tarte Tatin. Mais attention! il y a quelques différences entre ce qu'elle dit et ce qui est écrit ici. A vous de trouver ces différences et de corriger les fautes.

Tarte Tatin

préparation: 30 minutes
cuisson: 40 minutes
Pâte brisée
1 kg de pommes (Calville de préférence, à défaut des pommes à chair ferme, légèrement acidulées)
60 g de beurre
3 cuillerées de sucre en poudre
Le caramel
30 morceaux de sucre
1/2 verre d'eau

1. Choisir un moule à tarte à bord fixe (moule à tourte) de 26 à 28 cm de diamètre. Napper soigneusement le fond et les bords du moule avec un caramel assez coloré.
2. Peler les pommes. Les couper en gros quartiers. Disposer ces quartiers sur le caramel refroidi en les tassant bien et en les superposant même un peu s'il le faut.
3. Disperser sur les pommes le beurre en petits morceaux et saupoudrer de sucre.
4. Etendre la pâte au rouleau. Lui donner la forme d'un disque légèrement plus grand que le diamètre du moule. Poser le disque de pâte sur les pommes et, à l'aide d'un couteau, faire glisser les bords de la pâte entre les pommes et le bord du moule.
5. Faire cuire la tarte à four assez chaud (Th. 6) 30 minutes environ.
6. Démouler la tarte chaude dans le plat de service. La pâte sera dessous, les pommes caramélisées dessus.

4.7

Savez-vous choisir un bon vin?

Chaque automne fleurissent les foires aux vins. Avant d'acheter une bonne(?) bouteille, un conseil – bien lire l'étiquette! Au fait, à quoi sert une étiquette?

A Lisez le texte suivant et regardez l'étiquette, puis répondez «vrai» ou «faux» pour montrer que vous avez bien compris comment choisir une bonne bouteille.

Lire l'étiquette d'un vin

L'étiquette remplit, au moins, trois fonctions.

Légale. Elle permet d'identifier le responsable du vin. Dans tous les cas, il s'agit du dernier intervenant de la chaîne: celui qui met en bouteilles.

Réglementaire. Elle indique la catégorie du vin. En France, elles sont au nombre de quatre: vin de table, vin de pays, vin délimité de qualité supérieure (VDQS) et appellation d'origine contrôlée (AOC), la meilleure.

Essentielle. Bien que non obligatoires, deux autres mentions requièrent l'attention:

– Le millésime, indiqué sur l'étiquette ou sur une collerette en haut de la bouteille. D'une année à l'autre, la qualité d'un vin d'un même domaine, change. On trouve, chez les cavistes, des tables-calendriers des meilleurs millésimes,

– la mise en bouteilles au château, à la propriété ou au domaine. Toutes autres mentions «mis en bouteilles par nos soins, dans nos chais ou dans la région de production...» pour vraies qu'elles soient, n'apportent pas la garantie d'origine. Pouvoirs publics et organisations professionnelles militent pour un produit authentique, sans coupage, sans mélange. Un propriétaire-récoltant n'a pas le droit d'entreposer dans ses chais un vin qu'il n'a pas produit lui-même.

A noter que les mises en bouteilles effectuées à la coopérative par elle et au profit d'un coopérateur ont le droit à la mention «mise en bouteilles à la propriété».

1 L'étiquette ne sert qu'à identifier la provenance du vin.

2 Le nom du viticulteur doit paraître sur l'étiquette.

3 L'étiquette montrée ici décrit un vin de la meilleure qualité.

4 Le «millésime» est un terme qui montre la quantité de vin dans la bouteille dont il s'agit.

5 La qualité d'un vin reste constante d'année en année.

6 Le table-calendrier se trouve sur quelques étiquettes.

7 En ce qui concerne l'origine du vin, on ferait bien de se méfier de certaines indications sur l'étiquette.

8 Tous les concernés dans l'industrie viticole cherchent à créer un produit pur.

9 L'image sur l'étiquette montre toujours le lieu d'origine du vin.

B *Travail à deux*

Vous êtes au supermarché en France avec votre corres français(e), en train de chercher une bonne bouteille de vin pour emporter en Angleterre. Vous avez le choix entre ces deux bouteilles.

Personne A: Vous êtes le corres français et le vin, vous vous y connaissez un peu. Essayez de persuader votre ami(e) de choisir la bouteille A, en faisant valoir ses qualités, par exemple son origine, son millésime, sa catégorie, son volume.

Personne B: Le vin, vous n'y comprenez rien et vous choisissez la bouteille B. Expliquez votre choix en mentionnant l'image et le prix.

C Rendez en anglais les deux premiers paragraphes de la section d'article intitulée «Essentielle».

B

A

4.8

L'opinion d'un chef français

LE PARI DE PAUL BOCUSE

«La grande cuisine française que je défends est née dans nos régions. Elle est faite des produits de notre terroir. Je fais le pari de la faire connaître au plus grand nombre et de la rendre accessible à tous ceux qui ont gardé le goût du bon, tant en France qu'à l'étranger.»

Paul BOCUSE n'a plus grand-chose à prouver ni en France, ni à l'étranger où il est considéré comme l'ambassadeur de la grande cuisine française. Il s'en est fait le promoteur, et le «BOCUSE D'OR», qui rassemble toute la presse et les télévisions du monde, en est un exemple évident. Il préside par ailleurs «l'Ecole des Arts Culinaires et de l'Hôtellerie» à Ecully qui permet à de jeunes futurs cuisiniers d'apprendre leur métier pour devenir peut-être «le meilleur ouvrier de France» (ce que Paul BOCUSE fut en 1961).

Paul BOCUSE «mijotait» depuis des années le projet qu'il réalise aujourd'hui et qui fait l'objet de ce nouveau «challenge» qui le conduira à mettre à la portée de tous cette bonne cuisine française que nous aimons tant.

Les plats cuisinés de Paul BOCUSE devront arriver sur chaque table aussi frais qu'ils le sont à la sortie des cuisines. Ce fut ce premier challenge qui conduisit Paul BOCUSE à choisir la nouvelle technologie du sous-vide de WILLIAM SAURIN qui permet de magnifier la matière première et de conserver ses arômes, sa fermeté, en un mot, sa qualité.

Il restait, pour constituer la «carte Paul BOCUSE», à sélectionner les meilleures recettes, à choisir les meilleurs produits du terroir et à concevoir leur élaboration à une grande échelle. Là aussi, l'expérience et le savoir-faire de WILLIAM SAURIN conjugués au talent de Paul BOCUSE, firent miracle. Résultat: au rayon frais de votre magasin, vous trouverez le fruit de leur travail: les 12 recettes de «Paul BOCUSE à la carte».

---

le pari *bet, wager*
le terroir *soil, ground*
tant... qu' *as much ... as*
mijoter *to simmer*
le sous-vide *vacuum packing*

A Lisez cette publicité sur Paul Bocuse, qui est un des grand noms de la cuisine française. (Ne faites pas attention aux soulignements.)

Maintenant, complétez les phrases
1 Dans la première section, Paul Bocuse dit qu'il veut …
2 A l'Ecole des arts culinaires, les futurs cuisiniers …
3 Le but du projet de Paul Bocuse est de …
4 A cause de la nouvelle technologie du sous-vide …
5 Ayant sélectionné les meilleurs produits, Paul Bocuse et William Saurin vous …

B Comment dit-on, dans le texte:
1 to make available
2 in addition
3 on a large scale
4 the know-how
5 raw material

C *A discuter et à décider*
Et vous, vous êtes plutôt pour ou contre les plats cuisinés? Quels en sont les avantages et les inconvénients? Discutez, en groupes de trois ou quatre personnes, et notez vos conclusions. Essayez de vous mettre d'accord!

CONSOLIDATION

 Revoyez: 4.8

 Etudiez:
Comparatifs et superlatifs, pp. 140–41

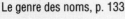 **Exercez-vous:**

1 Classifiez les expressions soulignées dans le texte selon les catégories suivantes:

| Egal | Comparatif | Superlatif |

2 Rendez ces expressions en anglais.

 Voyez: 4.8

 Etudiez:
Le genre des noms, p. 133

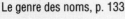 **Exercez-vous:**

Vous trouverez dans l'article sur Paul Bocuse les noms écrits dans la case ci-dessous. Rangez-les dans le tableau selon les catégories et selon les règles expliquées à la page 133. *Faites bien attention – il y a trois exceptions ici!*

Terminaisons généralement masculines				Terminaisons généralement féminines					
(i)er	-et	-t	-eur	-e	-té	-ée	-erie	-ette	-ion

cuisine	région	produit	nombre	goût	étranger	ambassadeur	promoteur
presse	télévision	exemple	hôtellerie	métier	ouvrier	cuisinier	année
projet	objet	portée	plat	sortie	technologie	fermeté	qualité	recette
échelle	talent	miracle	travail

4.9

Sandwichs et repas consistants

Dans la publicité que vous venez de lire, Paul Bocuse cherche à réconcilier le goût de la bonne cuisine avec le rythme fou de la vie moderne. Pour ceux qui travaillent, soit à la maison, soit au bureau, soit à l'usine, il est souvent difficile de trouver le temps de faire un bon repas, et il leur faut manger sur le pouce.

Ecoutez Françoise et Christine, deux étudiantes françaises, qui donnent leur avis là-dessus.

Ecoutez encore cette discussion. Laquelle dit ...? Remplissez la grille en bas.

1 ... qu'elle préfère manger des sandwichs.

2 ... qu'il ne lui faut rien d'autre à manger.

3 ... qu'elle préfère manger des sandwichs au pâté.

4 ... que la question de santé lui est importante.

5 ... que l'on est trop pressé à midi pour faire la cuisine, si l'on travaille.

6 ... que l'on risque de perdre sa ligne en mangeant tout le temps des sandwichs.

7 ... que, pour quelqu'un qui travaille, un sandwich apporte tout ce qu'il faut.

8 ... que même les diététiciens préfèrent les fast-foods.

9 ... qu'elle a beaucoup grossi en mangeant des sandwichs.

Françoise	*Christine*	*Personne*

4.10

Mince, alors!

Alors maigrir ou pas, c'est là, la question. Regardez cette publicité dans laquelle Jeanne-Marie décrit comment elle a perdu dix-neuf kilos sans rien sacrifier!

COMMENT J'AI PERDU 19 Kg
en mangeant tout ce que j'aime!

Ma grand-mère disait toujours: «*il vaut mieux faire envie que pitié!*» et je vous assure que le conseil avait été bien suivi … Toutes les femmes de la famille «se portaient bien!» Mais moi à 14 ans déjà je n'avais qu'une hantise: «grossir» … Je ne voulais pour rien au monde ressembler à mes tantes, à mes cousines. Je voulais être mince, comme les mannequins des journaux de mode dont je tapissais les murs de ma chambre!

Hélas, je ne sais pas si l'hérédité y est pour quelque chose, mais dès que j'ai eu 15 ans j'ai commencé à m'arrondir: j'avais la taille fine, mais les hanches rondes, les jambes un peu lourdes. Alors je peux dire qu'entre 15 et 20 ans j'ai passé mon temps à me battre contre les kilos et contre moi-même».

Un jour j'ai eu honte!

Quand je me suis mariée mon mari et moi avons décidé que je «resterai à la maison». Au début … tout nouveau tout beau! cette nouvelle vie me plaisait: il faisait bon chez moi, ma maison était jolie … Mais très vite, j'ai commencé à m'ennuyer. Je ne sortais pratiquement pas et dès que le cafard me prenait, il fallait que je grignote quelque chose … une tartine par-ci, un biscuit par-là, j'aurais mangé toute la journée … je me retenais pour ne pas vider le réfrigérateur! Je sentais que les crises de «boulimie» de mon adolescence me reprenaient … et je n'y pouvais rien, c'était plus fort que moi.

Alors j'ai commencé à grossir. Au début mon mari trouvait que ça m'allait bien, j'avais une plus belle poitrine, mais moi je me sentais vraiment mal et je n'osais même plus me mettre en pantalon!

---

se porter bien *to be well, healthy, robust*
une hantise *obsession*
y être pour quelque chose *to count for something, to have something to do with*
passer du temps à *to spend time on*
le cafard *depression*
grignoter *to nibble*
guetter *to look out for*
se priver (de) *to deprive oneself (of)*

A Vous avez bien compris? Complétez les phrases suivantes pour faire le résumé du témoignage de Jeanne-Marie.

1 A quatorze ans elle ne …
2 Mais elle voulait …
3 Un an plus tard elle …
4 Après, pendant cinq ans …
5 Dès son mariage son mari et …
6 Peu après, elle …
7 Les jours où elle se sentait triste …
8 Elle s'arrêtait parce que …
9 Elle sentait que …
10 Son mari était content mais elle …
 …et ça continue …

Et puis j'ai fait une formidable découverte!

«Alors sans en parler à mon mari, je vous ai écrit en vous demandant de m'envoyer discrètement votre méthode … Je ne risquais rien, j'avais lu que si je ne maigrissais pas de 15 kg en 4 semaines, je serais remboursée!

Chaque matin je guettais le facteur et je n'ai pas attendu longtemps: quelques jours après j'ai reçu ma méthode! C'était un petit paquet tout à fait anonyme dans lequel il y avait la fameuse méthode et un joli bijou, vous voyez je l'ai toujours gardé sur moi … en souvenir!

J'ai tout de suite été séduite: c'était bien présenté, sympathique et en plus ça paraissait facile à suivre, presque trop facile, je brûlais d'envie de commencer tout de suite! Je me rappelle que je devais afficher un graphique dans ma salle de bain pour afficher mes résultats …

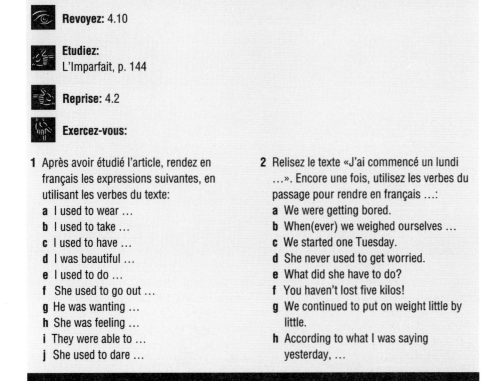

B Après avoir décidé d'essayer le régime Jeanne-Marie a trouvé une grande différence. Notez dans la deuxième section de la publicité comment elle dit …

1 I had nothing to lose.
2 I would get my money back.
3 I didn't wait long.
4 I was bowled over.
5 I was dying to …

C Dans la troisième section de la publicité il y a des mots qui manquent. A vous de les remettre.

«J'ai commencé un lundi matin et quand je me suis ___ le mardi soir ___ un peu déçue, je n'avais ___ qu'un kilo en 2 jours; mais d'après ce que disait la méthode, c'était normal, alors je ne m' ___ pas!

Je continuais à ___ régulièrement et à la fin de la 2° semaine, j'avais exactement perdu 10 kg, sans effort, sans me ___»

«Chaque matin c'était comme si quelqu'un m'avait dit ce que je ___ faire pour continuer à maigrir, c'était fantastique! En plus le ___ revenait, c'est drôle, je ne m' ___ plus, j'avais envie d'entreprendre ___ de choses.»

> *perdu   inquiétais*
> *plein   priver   j'étais*
> *ennuyais   maigrir   devais*
> *pesée   moral*

CONSOLIDATION

Revoyez: 4.10

Etudiez:
L'Imparfait, p. 144

Reprise: 4.2

Exercez-vous:

1 Après avoir étudié l'article, rendez en français les expressions suivantes, en utilisant les verbes du texte:
  a I used to wear …
  b I used to take …
  c I used to have …
  d I was beautiful …
  e I used to do …
  f She used to go out …
  g He was wanting …
  h She was feeling …
  i They were able to …
  j She used to dare …

2 Relisez le texte «J'ai commencé un lundi …». Encore une fois, utilisez les verbes du passage pour rendre en français …:
  a We were getting bored.
  b When(ever) we weighed ourselves …
  c We started one Tuesday.
  d She never used to get worried.
  e What did she have to do?
  f You haven't lost five kilos!
  g We continued to put on weight little by little.
  h According to what I was saying yesterday, …

D *Travail à deux*

Personne A: persuadez votre partenaire d'essayer ce régime.
Personne B: expliquez *ou* que vous ne voulez pas maigrir *ou* que vous n'avez aucune confiance dans de tels régimes, en donnant vos raisons.

4.11

Et vous?

A A discuter et à décider

Regardez ces deux dessins qui montrent deux aspects de la gourmandise. Vous trouvez peut-être ces dessins amusants mais ils ont également un aspect plus sérieux. Qu'est-ce que c'est?

B A vous maintenant!

Pour finir, écrivez 120–150 mots sur un des deux thèmes suivants.

1 «Il faut manger pour vivre et pas vivre pour manger.» Vous êtes d'accord? Expliquez vos raisons.

2 «On fait le régime pour les autres, pas pour soi-même.» Qu'est-ce que vous pensez de ce point de vue?

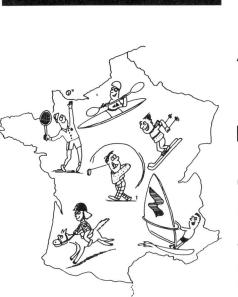

Unité 5 *Sportez- vous bien!*

On assiste en France depuis plus de quinze ans à une véritable explosion du sport en tant que phénomène socio-culturel. Réservées à un petit nombre de pratiquants il y a quelques années, certaines disciplines sportives se sont développées à une allure vertigineuse. Après le phénomène ski, tennis, équitation, apparaissent aujourd'hui le golf et les sports nautiques qui connaissent un essor important.

5.1

Le sport en chiffres

Un Français sur neuf pratique régulièrement un sport. Sur 6 millions de licenciés, on compte plus de la moitié de jeunes de moins de 18 ans et un million de femmes. Près de 15 millions de Français avouent ne jamais avoir pratiqué de sport au sein d'un club ou d'une structure.

Le football regroupe 36 millions d'adeptes dans le monde. Les Jeux Olympiques, la Coupe du Monde de Football et le Tour de France sont les compétitions qui obtiennent le plus d'audience.

Référez-vous à l'article ci-dessus pour savoir comment exprimer en français:

1 more than a quarter
2 the largest public
3 55 million Britons
4 one Englishman in ten
5 almost one million
6 out of thirty participants

5.2

L'aspect social du sport

Les loisirs – et surtout les loisirs sportifs – ont pris une ampleur considérable dans l'emploi du temps des Français. Pratiqués souvent dans un esprit ludique pour se détendre, ils aident au développement des relations sociales.

Ecoutez Jean-Paul Martineau qui explique l'importance du sport dans sa vie, puis répondez aux questions à la page suivante.

A Ecoutez la première partie et répondez aux questions suivantes.

1 Quand est-ce qu'il jouait au ping-pong?
2 Qu'est-ce qui montre qu'il ne voulait pas renoncer à ses anciens amis?
3 Qu'est-ce qu'il appréciait surtout dans son club?
4 Jean-Paul utilise le terme «la troisième mi-temps». Qu'est-ce qu'il entend par là?
5 Vous êtes d'accord, vous, avec la dernière opinion qu'exprime Jean-Paul? Pourquoi?

B Dans la même partie de l'enregistrement, trouvez le français pour …

1 I played quite a lot of sport.
2 near the town where I was born
3 I used to go back nearly every weekend.
4 a lot of people think that …
5 the most important thing …
6 the main thing is taking part

C Ecoutez la deuxième section où Jean-Paul parle des sports qu'il a pratiqués plus récemment. Faites le résumé de ce qu'il dit à partir des mots-clés suivants.
Par exemple:

> handball – équipe – Paris

Il a fait beaucoup de handball avec l'équipe de son école à Paris.

1 | Plus tard – enseignant – volleyball |
2 | Sympathique – aspect social – après le match |
3 | Maintenant – temps – footing |
4 | De temps en temps – enfants – tennis |

D Et vous? Discutez en groupes de trois ou quatre …

1 Quels sports pratiquiez-vous quand vous étiez plus jeune?
2 Et actuellement?
3 Il y a peut-être des sports que vous n'avez pas encore pratiqués et qui vous attirent. Lesquels? Pourquoi?

5.3

Le sport à l'école: un débat de fond

Le sport à l'école est un thème qui suscite en France de nombreux débats.

Qu'en pensez-vous? Ecrivez un article pour votre magazine scolaire, défendant l'une des deux opinions exprimées dans le dessin.

5.4

Comment ne pas assister à un cours de gymnastique

Peut-être le sport ne vous attire-t-il pas du tout. Dans le temps vous avez sans doute essayé de sauter un cours de gym. Vous y avez réussi?

A   Voici quelques excuses des lycéens:

Les moyens ou les excuses	*Les avantages*	*Les risques*
Faire l'école buissonnière.	Pas de cours.	L'administration de l'établissement signale la chose aux parents …
Le mot d'excuse avec la signature de l'élève.	Ça peut marcher une fois. A répétition, c'est moins sûr.	Le résultat: renvoi.
Je me suis trompé de tenue, j'ai pris celle de mon petit frère.	Ça peut marcher – repos.	Porter la tenue de ville.
Je suis malade.	Vous êtes à plaindre.	Le professeur n'en tient pas compte, il en a vu d'autres.
J'ai mal à la tête, aux jambes.	Ça va une fois.	A l'infirmerie la première fois. Gare à l'infirmière. On exige souvent un certificat médical.
Mon grand-père (ma grand-mère, un parent proche) est mort.	Le professeur compatit, restez juste dans votre coin.	La parentèle est vite épuisée. Certains professeurs sont insensibles.
Je n'ai pas envie de travailler.	Le prof a le sens de l'humour. Ça peut, peut-être, marcher une fois.	Le prof n'a pas le sens de l'humour. «Au trot, au pas de gymnastique.»

Quelles autres excuses avez-vous trouvées? Chaque membre du groupe doit ajouter encore une excuse, en donnant aussi les avantages et les risques.

B *Travail à deux*

Avec un(e) partenaire, jouez les rôles d'un prof de gym et d'un(e) élève qui ne veut pas faire un cours de gymnastique. Choisissez une excuse dans la liste et développez la conversation.

CONSOLIDATION

Revoyez: 5.4

Etudiez:
Pronoms démonstratifs, p. 137

Exercez-vous:

Attentions aux formes des déterminants possessifs! Remplacez les noms en parenthèses par **celui**, **celle**, **ceux**, ou **celles**, selon le cas.

1 Elle a pris (baskets) de ma soeur.
2 Vous avez pris (tee-shirt) de votre père.
3 Il a pris (chaussettes) de mon frère.
4 J'ai pris (tenue) de mon ami.
5 Pierre a pris (sac) de sa petite amie.

5.5

Les sports dans la rue

A l'école le choix des sports est souvent limité. Vous pratiquez certains sports, peut-être, en dehors de l'école. Dans l'article suivant en trouvez-vous un qui vous passionne?(Les soulignements ne sont pas significatifs.)

LES NOUVELLES FORMES DE PRATIQUES SPORTIVES: LES SPORTS DANS LA RUE

La rue, après la cour d'école, offre de <u>multiples</u> possibilités dès que l'on fait preuve d'imagination. Si on se l'approprie différemment selon que l'on habite en milieu <u>urbain</u> ou en milieu <u>rural</u>, cet espace ne laisse pas les jeunes <u>indifférents.</u> Une pratique <u>sauvage</u> tente de s'y organiser sous le regard plus ou moins <u>bienveillant</u> des autorités <u>municipales</u> ou <u>parentales.</u>

Toute une jeunesse cherche à y conquérir une part de liberté, à s'affirmer en dehors des structures <u>associatives.</u> N'a-t-on pas coutume de dire que des générations de <u>grands</u> footballeurs sont nées dans la rue? Aujourd'hui les skate-board, les VTT (vélo tout terrain) et les patins à roulettes envahissent les avenues et bravent les interdits lorsqu'ils s'égarent sur les trottoirs ou sur les parvis d'églises ou d'administrations.

Les risques sont toujours <u>présents,</u> y compris pour le piéton et l'automobiliste, mais ils sont <u>recherchés.</u> Alors, construisez-leur des espaces pour s'amuser diront certains. En veulent-ils vraiment ces adolescents un peu <u>casse-cou</u>? Ce n'est pas <u>certain.</u> Liberté, liberté disons-nous!

A   Les phrases suivantes sont-elles en accord avec l'article? Repondez «vrai» ou «faux».

1 Ceux qui jouent dans la rue ne manquent pas d'idées.
2 Les jeunes n'apprécient pas les possibilités sportives de la rue.
3 Ce qu'ils font n'est point toléré par les pouvoirs publics.
4 C'est en quelque sorte une révolte contre le système éducatif.
5 Tous les footballeurs célèbres ont fait leur début dans la rue.
6 Les nouveaux sports représentent un défi à l'autorité.
7 On propose d'aménager des endroits pour les piétons.
8 Il n'est pas certain que les ados désirent ce qu'on leur propose.

B   *Travail à deux*

Personne A: Regardez le dessin à la page en face. Vous êtes le petit enfant – quelle est votre réaction devant l'affiche «Défense de jouer au ballon»? Expliquez-vous à votre partenaire, qui jouera le rôle de votre père/mère.
Personne B: Vous êtes le parent de l'enfant — expliquez pourquoi cette affiche est nécessaire.

C   *A vous maintenant!*

Vous êtes *ou* un(e) piéton(ne) que se sent menacé(e) par le sport dans la rue *ou* un fan de skateboard, patins à roulettes, etc. Ecrivez une lettre à votre journal régional, exprimant votre point de vue. Utilisez les questions suivantes pour vous aider.

1 Qu'est-ce qui pousse tant de jeunes à jouer dans la rue?
2 Quels sont les avantages et les dangers de jouer dans la rue?
3 Quand vous étiez plus jeune où jouiez-vous au ballon?
4 Que pensez-vous des nouvelles formes de pratiques sportives comme le skateboard, les VTT, etc.?

DÉFENSE DE JOUER AU BALLON

5.6

Le Sport de haut niveau

Dans l'article que vous venez de lire on dit que les grands footballeurs sont nés dans la rue. Mais est-ce que c'est vrai pour Max Bossis? Ici, il parle au magazine *Gibus* des écoles professionnelles de sports de haut niveau, populaires en France, dont il n'a pas pu bénéficier.

G.: **Comment êtes-vous arrivé au football professionnel?**

M.B.: *J'ai suivi une filière que je qualifierais de classique pour mon époque. J'ai commencé à jouer en sélection départementale puis régionale, jusqu'au jour où des clubs pro se sont intéressés à mon cas. Parmi ces différents clubs, il y avait le FCN [Football Club de Nantes]. Comme je suis vendéen, c'est celui que j'ai choisi. C'est ainsi que je suis arrivé comme stagiaire à l'âge de 17 ans. A ce moment-là, il n'y avait pas les structures dont les jeunes disposent aujourd'hui. Je veux dire les écoles professionnelles de sport de haut niveau, où on commence l'entraînement à l'âge de 14 ans.*

CONSOLIDATION

Revoyez: 5.5

Etudiez:
Adjectifs, pp. 138–9

Reprise: 1.7, 2.5

Exercez-vous:

1 Attention aux terminaisons adjectivales! Complétez chaque ligne d'adjectifs en faisant attention aux accords. La première est déjà faite pour vous aider.

un milieu …	une possibilité …	ces milieux …	ces possibilités …
multiple	*multiple*	*multiples*	multiples
urbain	urbaine	urbains	urbaines
rural	rurale	ruraux	rurales
indifférent	indifférente	indifférents	indifférentes
sauvage	sauvage	sauvages	sauvages
bienveillant	bienveillants	bienveillants	bienveillantes
municipale	municipales	municipaux	municipales
parentale	parentals	parentaux	parentales
associatiffe	associative	associatiffes	associatives
considérable	considérable	considérables	considérables

2 Notez les adjectifs qui …
a se placent avant le nom ....
b se terminent par un **e** *au masculin singulier* ....

---

disposer de *to have available*
quoi que ce soit *anything*
grâce à *thanks to*
un encadrement *supervision*
un épanouissement *development*
gérer *to manage, run*
acquis, *see* acquérir
le conseiller *adviser*
par contre *on the contrary, on the other hand*
sur le plan *on a … level*
ailleurs *elsewhere*
tenir à *to be keen to*

A Après avoir lu ce que dit Max Bossis (à la page 61), complétez les phrases suivantes (sans regarder le texte):

1 J'ai suivi une filière que …
2 J'ai commencé à jouer en sélection départementale puis régionale …
3 Parmi ces différents clubs …
4 Comme je suis vendéen …
5 C'est ainsi que je suis arrivé …
6 A ce moment-là, il n'y avait pas de structures …
7 Je veux dire les EPSHN …

B Maintenant lisez ce deuxième extrait de l'interview, et répondez aux questions.

G.: **Auriez-vous aimé bénéficier de ces structures?**

M.B.: *Non, pas du tout. Non pas que j'ai quoi que ce soit contre ces structures, mais parce que j'étais, et je le reste, beaucoup trop indépendant pour entrer dans un système comme celui d'un centre de formation. C'est simplement une question de caractère. Je ne suis pas fait pour ça. Par contre je pense qu'aujourd'hui c'est une très bonne école, notamment grâce à l'encadrement. Les jeunes bénéficient d'un entourage favorable à leur épanouissement.*

G.: **Pensez-vous qu'une école comme celle des sportifs de haut niveau aide un joueur, quelle que soit sa discipline, à préparer sa reconversion?**

M.B.: *A ce sujet, je suis plus sceptique. Je ne pense pas que 3 ou 4 ans passés dans une école, celle-là ou une autre, préparent plus facilement à affronter l'avenir. Il faudrait vraiment pousser beaucoup plus loin pour être vraiment compétitif plus tard.*

1 Pourquoi n'aurait-il pas aimé participer à ce système?
2 Quels avantages y trouve-t-il?
3 Quel inconvénient y voit-il?
4 Et vous? Vous aimeriez aller dans une école où les sports priment sur les études? Pour quelles raisons?

G.: **Comment envisagez-vous votre propre reconversion?**

M.B.: *Comme je le disais il y a un instant je suis trop indépendant pour pouvoir travailler avec ou sous les ordres de quelqu'un. Ma reconversion sera simple: je gérerai mes propres affaires. J'ai, au cours de ma carrière, acquis quelques biens que je vais tenter de faire fructifier. Ce sera déjà beaucoup pour moi. En plus, je tiens à conserver ma vie de famille. C'est une excellente façon d'y parvenir. J'ai de bons conseillers et puis je sais compter!*

C Lisez maintenant la suite de cet article, imprimée à gauche. Certaines des phrases suivantes décrivent Max Bossis. Lesquelles?

1 Il a du mal à obéir aux autres.
2 Personne ne l'aime.
3 Il va s'occuper lui-même de son entreprise.
4 Il n'a pas tout dépensé.
5 Il se laisse tenter facilement.
6 Il envisage de faire travailler son argent.
7 Ses proches lui sont importants.
8 Il a choisi de bonnes personnes pour l'aider.
9 Sa reconversion est dans le but de devenir comptable.

D Lisez la dernière section …

G.: **Quelles raisons vous ont poussé à revenir à Nantes?**

M.B.: *J'avais totalement raccroché les crampons après mon départ du Racing. Pour moi la carrière était terminée. Et puis les dirigeants nantais cherchaient un joueur et sont venus me voir. C'est vraiment l'occasion qui a fait le larron. Et puis, pour moi, c'était l'unique occasion de terminer ma carrière dans ma région et dans le club où j'ai toujours évolué. Si j'étais parti de Paris avec un titre de champion de France je ne serais probablement jamais revenu à Nantes. Par contre sur le plan personnel mon expérience dans la capitale a été très positive. Elle m'a montré que l'on pouvait vivre et avoir des amis ailleurs que dans la région où l'on a toujours vécu. L'expérience fut également très intéressante pour ma famille. Et ça, c'est peut-être le plus important.*

Rendez en français le paragraphe suivant en vous référant à ce que dit Max Bossis.

After hanging up his boots, Bossis declared "I don't want to play any more." However, a few days later, one of the bosses of Nantes F.C. offered him the opportunity to play again for the club where he had begun his career. Having lived in Paris for several years, he and his wife decided to return to the city where he had first been successful.

E Relisez l'interview entière et répertoriez les expressions qui sollicitent/expriment une opinion. Un exemple de chaque type est donné.

Questions	Opinions
Auriez-vous aimé …?	… pas du tout

CONSOLIDATION

Revoyez: 5.6A

Etudiez:
Le Passé Composé, pp. 143–4

Reprise: 3.10

Exercez-vous:

Refaites le monologue de Bossis jusqu'à «17 ans»,comme si vous parliez de votre copain/copine. Par exemple, «Il/elle a suivi une filière que …».

5.7

Le sport, c'est aussi une aventure!

Considérons un autre sport – et c'en est un qui devient de plus en plus populaire: la varappe.

L'escalade ou la varappe se pratique aujourd'hui partout: à la montagne bien sûr, mais aussi en ville où les murs artificiels ont poussé comme des champignons.

LA varappe est un sport tout ce qu'il y a de plus complet! Elle fait travailler harmonieusement les bras, les jambes, et le tronc. Mieux encore, elle fait appel à tous les gestes naturels, qui gagnent en précision et en adresse. Résultat: capacité respiratoire et cardiaque, endurance et force musculaire se développent … ainsi que les grandes qualités morales! Courage, volonté, esprit d'équipe, sang-froid, évaluation réelle <u>des difficultés à vaincre</u> … On peut dire que la vie d'un escaladeur <u>dépend de</u> la sûreté de son jugement.

La varappe <u>consiste en effet à grimper</u> sur des blocs de rocher ou sur des falaises avec l'aide des mains, des pieds et d'un équipement adéquat: cordes, pitons … Le grimpeur tire sur les prises des mains et pousse sur celles des pieds. A chaque bonne accroche, il peut s'arrêter pour se détendre, on parle de position repos. On le voit, les qualités requises sont souplesse, adresse et sens de l'équilibre. C'est pourquoi les enfants sont souvent très doués. Cependant, ils n'ont pas la maturité nécessaire pour pratiquer ce sport de manière autonome et doivent toujours être encadrés. Dans le cadre des associations sportives, l'escalade n'est autorisée qu'à partir de douze ans, mais en famille, elle est souvent pratiquée <u>à partir de</u> huit-neuf ans.

A Sans copier le texte, expliquez en une phrase comment la varappe est un sport complet.

B Rendez en anglais la section «La varappe consiste … encadrés.» (Ne faites pas attention aux soulignements.)

C Maintenant dressez la liste des qualités développées par la varappe, en complétant un tableau comme celui-ci.

	Nécessaires dès le début	Acquises ou développées
Qualités morales		
Qualités physiques		

D   Cherchez dans le texte un mot/une expression qui complète le sens de chacune des phrases suivantes (ne faites pas attention aux soulignements).

la paroi *wall*	
une adresse *skill*	
le sang-froid *cool-headedness*	
les prises des mains *hand-holds*	
une accroche *grip*	
le cadre *context, framework*	
une escalade *ascent*	
la dénivellation *difference in level*	
un atout *point in your favour, advantage*	

Un maître mot: la prudence

Pour votre sécurité, la prudence est le maître mot en matière d'escalade. A la montagne, tout comme sur un mur artificiel, la témérité n'est pas une qualité mais un défaut! Des précautions indispensables <u>sont à prendre</u>: ne jamais partir seul, notamment, se renseigner sur les conditions météorologiques, et n'aborder que des parois <u>qui correspondent à son niveau</u> technique et à son degré d'entraînement.

Il est nécessaire de s'habituer aux dénivellations en s'entraînant progressivement: les amplitudes doivent être de 300 m à 600 m et les sorties d'une durée de 2 à 5 heures. <u>L'adaptation totale à l'altitude</u> demande environ quinze jours.

Quoi qu'il en soit, en toutes circonstances, vos meilleurs atouts seront: sang-froid, calme et patience ainsi qu'une excellente condition physique générale, surtout pour aborder des escalades sérieuses. En tant qu'apprenti alpiniste, vous devrez <u>penser à chaque geste</u> avant de l'exécuter. Bref, être le contraire d'un casse-cou!

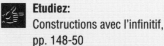

CONSOLIDATION

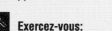

Revoyez: 5.7

Etudiez:
Constructions avec l'infinitif, pp. 148-50

Exercez-vous:

Etudiez les locutions soulignées dans le texte (les deux parties), puis décidez comment exprimer en français les phrases suivantes.

1 There are problems to consider and there's lots to do.
2 Good results depend on your own efforts.
3 Boules is really a matter of throwing several large balls at one small one.
4 We'll be on holiday as from 10 July.
5 I have nothing to say.
6 Try a sport that is suitable for your level of fitness.
7 It's essential to adapt to the new situation.

1 Le plus important, c'est de ne pas prendre de risques, il faut montrer de la ......
2 En effet, loin d'être un atout, l'imprudence est au contraire un ......
3 Faire des préparatifs compréhensifs avant de partir, c'est ......
4 Si on n'est qu'apprenti alpiniste, on ne doit pas ...... des obstacles trop difficiles.
5 Si l'on n'a jamais fait de la varappe, il faudra un certain temps pour s'habituer à ......
6 Pour pouvoir faire des montées difficiles, il faudra avoir une bonne ......
7 Somme toute, pour faire de la varappe, il ne faut pas être un ......

E *A vous maintenant!*

1 Faites le résumé des détails de votre sport préféré; les titres suivants pourraient vous aider.

2 Choisissez *ou* la varappe *ou* votre sport préféré, rédigez une explication pour un groupe de jeunes (12–14 ans) des avantages, des qualités nécessaires, et des précautions essentielles qu'on doit observer.

Parties du corps utilisées
Bénéfices physiques
Qualités requises
Qualités acquises
Age où on peut commencer
Précautions à prendre
Frais d'équipement

5.8

Le parachutisme

A Vous êtes tenté(e) par ce genre de sport? Voici deux jeunes femmes qui discutent du parachutisme. Elles parlent d'abord de l'équipement qu'il faut avoir pour y participer. Ecoutez et complétez la liste.

	L'équipement	*Pour/Parce que*
1	bottes semal thes epaisse	pour ramontire le chaque
2	guns	Pratique quand il fait froid
3	Parachutte	utile
4	Casque	quand les guns at
5		

B Après une période d'entraînement à terre, il est temps de monter en avion pour faire un vrai saut! Ecoutez les deux filles. Répertoriez les mots de Nicole qui nous indiquent qu'elle a toujours des doutes en ce qui concerne le premier saut.

C Ecoutez encore une fois Françoise. Comment dit-elle …

1 the first time …
2 if one of them hesitates …
3 as a safety measure …
4 straight away …
5 I'd been waiting to jump for a long time.
6 it was such a shock
7 they all do it again

D *Travail à deux*

Personne A: Votre partenaire vient de faire son premier saut en parachute. Vous, qui avez peur, lui posez des questions sur les émotions qu'il/elle a éprouvées, comment il/elle en est arrivé(e) à choisir le parachutisme, et quels préparatifs on a dû faire.
Personne B: Répondez aux questions de votre partenaire. Essayez de le/la persuader de faire du parachutisme.

5.9

Le sport et l'économie

Ecoutez maintenant Jean-Paul qui parle de la passion qu'ont les Français pour le vélo.

A Comment dit-il …

1 one of the most rated sports …
2 travelling along the French roads …
3 because it's a bit like skiing …
4 loads of cyclists …
5 They look very professional.
6 something which is very popular …

B

Le sport de nos jours est plus ou moins étroitement lié à l'économie. Lisez cet article et répondez aux questions.

ECONOMIE ET SPORT! CHOQUANT?

Non! Car le sport est en fait une activité hautement économique. Vous qui faites du football, du tennis, de la natation ou tout autre sport, le savez. Pour pratiquer un sport, il faut commencer par «casser sa tire-lire»: achat de chaussures, de maillots, de shorts, de raquettes, de maillots de bain … etc. Il y a donc d'un côté des entreprises qui produisent des articles de sport et de l'autre des consommateurs qui achètent ces produits pour s'adonner à leur pratique. D'un côté encore, il y a la production, de l'autre la consommation: les maîtres-mots de l'économie. Mais, tout est économique direz-vous! Oui, bien sûr, et le sport plus que certains autres secteurs car il est devenu par les médias (presse, télévision, radio) un spectacle lu, regardé et entendu par des millions de personnes.

1 Vous, vous avez déjà cassé votre tire-lire? Quand? Pourquoi?
2 Donnez un exemple d'une occasion où on peut être victime de la société de consommation en ce qui concerne le sport; cela vous est-il déjà arrivé?
3 Quels exemples trouvez-vous dans les médias de l'exploitation commerciale dans ce domaine? Notez-les.

C *A discuter et à décider*

En travaillant en groupes de trois ou quatre, regardez cette image, et faites la comparaison entre les deux personnes. Discutez et décidez: Est-il nécessaire/une bonne idée de dépenser un tas d'argent pour pratiquer un sport? L'un de vous doit prendre des notes pour pouvoir présenter vos idées au groupe.

5.10

Le cyclisme en France

Vous vous souvenez, sans doute, que le cyclisme en France est un sport qui a énormément d'amateurs, mais chaque année au mois de juillet se déroule un grand concours cycliste, le Tour de France, qui est carrément commercial. Ecoutez Jean-Paul qui en parle.

A Vous avez devant vous le texte de ce qu'il dit mais il s'y trouve certaines différences. A vous de les souligner et de reconstituer le texte original.

> Maintenant le Tour de France a des aspects commerciaux, c'est, c'est un peu comme à une période où on voulait que le chemin de fer passe dans la ville. Bon, maintenant, les municipalités cherchent à – désespérément – à ce que le Tour de France passe car, notamment si c'est une ville-étape, alors bien sûr comme il y a une énorme caravane publicitaire avec des milliers de gens, bon, il y a toutes les écuries, tous les entraîneurs, tous les soigneurs, etc. Le Tour de France, ça concerne des centaines et des centaines de personnes, alors c'est certain que ça a des effets économiques peu importants pour l'endroit où ça se passe.

B Ecoutez encore une fois Jean-Paul, et résumez en une phrase ce qu'il dit.

5.11

Foot, ce n'est plus du jeu!

Mais si le sport est devenu une affaire commerciale, il reste encore une passion pour ceux qui y trouvent un plaisir vif et innocent. Lisez cet extrait d'un article du magazine *Madame Figaro* où un journaliste célèbre, Denis Tillinac, parle de son amour du football.

> Tant qu'il y aura des enfants sur la Terre, un coin de préau ou un carré de bitume seront décrétés stades pour un foot improvisé avec une boîte à conserve.Tant qu'il y aura des pères, ils défieront leurs fils entre deux poteaux en forme de chandails ou de cartables – et tant pis si la fenêtre de la cuisine encaisse le but.
>
> Tant qu'il y aura des hommes, le foot passera les frontières nationales, raciales, sociales, etc. Malgré mon grand âge, je goûte chaque dimanche le bonheur de pister un ballon sur les terrains, tandis que mes rejetons s'initient dans leur catégorie.
>
> Les maîtres de l'art nourrissent ma fascination. De Pelé à Platini en passant par Kopa, mon panthéon intime a accueilli une pléthore de divinités, et j'ai connu mes plus belles exaltations d'enfant au Parc des Princes lorsque j'allais applaudir le Racing. En ce temps-là, les «pros» touchaient des salaires de cadres moyens, la ferveur des foules était propre, les joueurs dédaignaient de s'étreindre grotesquement après chaque but.

A Ces expressions suivent les idées principales de ce morceau de l'article, mais ils ne sont pas dans le bon ordre. A vous de les ranger correctement.

– souvenirs de jeunesse 4
– tel père, tel fils. 1
– le bon vieux temps 5
– chacun a son niveau 3
– peu importe le lieu 2

B Maintenant, relisez le texte et notez le français pour les mots ou les expressions suivants.

1 as long as
2 spontaneous
3 sweaters
4 never mind
5 to kick
6 while
7 personal
8 I experienced
9 earned
10 correct

C Après avoir passé en revue tous les problèmes que l'on trouve dans le football actuel, le journaliste termine son article sur un ton plutôt optimiste. A vous de compléter cette partie du texte, dont certains mots ont été supprimés. Choisissez dans la liste suivante un mot pour chaque blanc dans l'article, et écrivez les mots appropriés. Mais attention, vous n'allez pas utiliser tous les mots!

> Reste aux vrais ____ du foot la ressource d'appeler quelques ____ au téléphone pour aller s'amuser au ____ de Vincennes. Deux arbres figureront de ____ , le goal sera ____ , les vieux joueront ____ les jeunes. A ____ de «cuir», un ballon de ____ fera l'affaire et après la ____ nous irons boire ____ comme feu les sportsmen victoriens qui inventèrent le foot.

amoureux
bière
bois
caoutchouc
contre
copains
défaut
ensemble
gare
jeu
partie
poteaux
victimes
volant
vole

5.12

Ça me passionne!

Choisissez un des thèmes suivants et écrivez environ 150 mots.

1 Au fil des années, vous avez connu un succès remarquable dans votre sport préféré. On vous invite à devenir un sportif professionnel. Votre père/mère a des doutes. Imaginez la conversation entre vous deux, où chacun insiste soit sur les avantages soit sur les inconvénients de cette idée.

2 Racontez un événement sportif qui vous a passionné(e), soit comme spectateur/trice soit comme participant(e).

Unité 6 *Chienne de vie!*

Vous avez peut-être chez vous un animal domestique: un chien, un chat, ou un lapin? Il y a même des gens qui préfèrent les animaux aux êtres humains! En France, comme partout, tout le monde ne voit pas nécessairement les animaux de la même façon.

6.1 🎧

Les animaux, à quoi ça sert?

Nous avons demandé à trois Français de donner leur opinion sur les animaux domestiques. Ils ne sont pas tous d'accord.

Après avoir écouté ces trois personnes, indiquez laquelle exprime les idées suivantes:

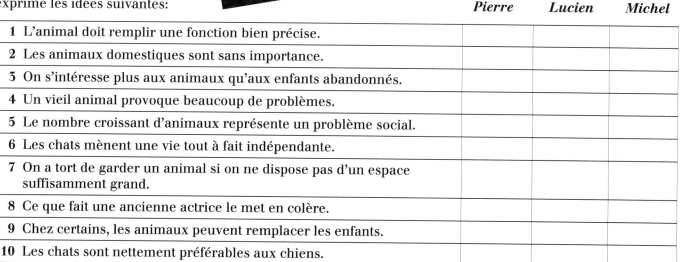

	Pierre	Lucien	Michel
1 L'animal doit remplir une fonction bien précise.			
2 Les animaux domestiques sont sans importance.			
3 On s'intéresse plus aux animaux qu'aux enfants abandonnés.			
4 Un vieil animal provoque beaucoup de problèmes.			
5 Le nombre croissant d'animaux représente un problème social.			
6 Les chats mènent une vie tout à fait indépendante.			
7 On a tort de garder un animal si on ne dispose pas d'un espace suffisamment grand.			
8 Ce que fait une ancienne actrice le met en colère.			
9 Chez certains, les animaux peuvent remplacer les enfants.			
10 Les chats sont nettement préférables aux chiens.			

6.2

L'opinion de Richard

Voici l'avis de Richard sur les Français et les animaux.

A Lisez ce qu'il dit et décidez si les phrases suivantes sont vraies ou fausses.

En France on a une attitude un peu bizarre en ce qui concerne les animaux. On n'a pas un amour fondamental de l'animal domestique, peut-être, parce qu'on est un peuple de chasseurs. Très souvent on s'aperçoit qu'il y a un conflit toujours plus ou moins permanent entre les chasseurs et les associations de protection des animaux. Par exemple, en ce moment, il y a tout un problème avec les histoires des ours dans les Pyrénées parce qu'il y a des gens qui veulent les garder, et puis d'autres gens qui aimeraient bien tirer dessus.

Alors on a une SPA en France, qui semble essentiellement être chargée de récupérer les centaines de chiens dont les gens se débarrassent en partant en vacances. Ça, c'est quelque chose de lamentable mais les bords d'autoroutes, à chaque grand départ en vacances, sont pleins d'animaux que les gens ont abandonnés parce que ça les embête de les emmener au bord de la mer.

Il y a aussi quelqu'un dans le domaine de la protection des animaux qui a évidemment laissé un nom mais elle était célèbre par ailleurs, c'est Brigitte Bardot. Alors, elle a créé une fondation. Je trouve que c'est bon que ça existe, elle fait du bon travail. Ç'a été une actrice connue dans le monde entier et d'une certaine façon je crois que les gens lui reprochent un peu d'avoir laissé tomber le cinéma, pour une cause que les Français trouvent d'une certaine façon assez vague. Mais je trouve qu'avec la montée de l'écologie il est inévitable que l'on se préoccupe de la sauvegarde des animaux et moi je trouve que c'est effectivement une cause qui est tout à fait défendable.

B Maintenant retrouvez dans le texte un mot ou une locution ayant le même sens – ou presque – que chacun de ceux-ci.

1 à l'égard des
2 on remarque
3 actuellement
4 surtout
5 sauver
6 délaissés
7 ennuie
8 bien connue
9 partout
10 s'intéresse à

C Rendez en anglais le dernier paragraphe de ce que dit Richard («Il y a aussi … tout à fait défendable.»).

1 Les Français sont tout à fait unanimes en ce qui concerne les animaux.
2 Le travail de la SPA (Société Protectrice des Animaux) devient plus pénible lors des vacances.
3 Pas mal d'estivants ne veulent pas se donner la peine de s'occuper de leur animal en été.
4 Brigitte Bardot travaille pour la SPA quand elle n'est pas en train de tourner un film.
5 Il y a des gens qui pensent que Bardot aurait mieux fait de rester actrice.
6 Richard partage l'avis du Français moyen en ce qui concerne la sauvegarde des animaux.
7 Richard pense que la défense des animaux attire de plus en plus de sympathisants parmi les Français.

CONSOLIDATION

👁 **Revoyez:** 6.2

✋ **Etudiez:**
Pronoms relatifs, p. 136

✋ **Reprise:** 4.1

🤚 **Exercez-vous:**

Complétez les phrases en mettant le pronom correct (*qui, que, ce qui, ce que, dont*) dans le blanc:

1 Je trouve ...... elle fait du bon travail.
2 Il existe un groupe ...... essaie de sauver les animaux abandonnés.
3 Elle a des raisons ...... je trouve tout à fait admirables.
4 Je trouve bien courageux ...... fait la SPA.
5 J'ai vu un chat ...... quelqu'un s'était débarrassé.
6 C'est un projet ...... j'ai dû abandonner.
7 Il y a quelqu'un de célèbre ...... s'est chargé des animaux abandonnés.
8 Je ne comprends pas ...... disent ces gens-là.
9 Je connais des gens ...... défendent leur droit de chasseur.
10 Je trouve incroyable ...... une famille abandonne son chien.
11 C'est une cause ...... on parle beaucoup.
12 Il y a quelques-uns ...... ne se soucient pas des animaux.
13 ...... m'inquiète, c'est l'abandon des animaux au bord de l'autoroute.
14 Il y a bien des gens ...... ne s'intéressent pas à ...... fait Bardot.
15 En ...... concerne les jeunes, je suis d'accord avec tout ...... vous dites.

6.3 ✎ ✍

Et vous?

A Regardez ce dessin. Qu'est-ce qu'il vous dit sur les chats? Notez ce que vous en pensez, et puis trouvez une légende pour ce dessin.

B Vous avez un animal? Lequel? Depuis quand? Pourquoi avez-vous choisi cet animal? Imaginez que votre corres vous ait demandé de lui écrire à ce sujet. Ecrivez une lettre d'environ 100 mots.

C *Travail à deux*

Personne A: vous êtes le parent et vous offrez un chaton à votre enfant. Expliquez les avantages et les qualités des chats.
Personne B: vous êtes l'enfant et vous êtes déçu(e). Vous aimeriez plutôt un chiot. Pourquoi? Essayez de convaincre votre parent, en donnant de bonnes raisons.

6.4

L'abandon des animaux

Vous avez déjà lu ce que dit Richard sur le problème des animaux abandonnés. Chaque année, lors du départ en vacances, on voit dans les journaux des articles consacrés au sujet de l'abandon des animaux. Et à la radio, on entend assez souvent des gens protester contre cette tendance.

Ecoutez maintenant Madame Yvette Fénérol, qui fait avec un collègue de la publicité pour l'Opération Echange-Tendresse. Celle-ci cherche à mettre en rapport, gracieusement, les propriétaires de chiens et de chats pour leur permettre de passer les meilleures vacances possibles.

A Répondez aux questions suivantes.

1 Combien d'animaux domestiques, environ, sont en danger d'être abandonnés pendant les grandes vacances?
2 Pourquoi leurs maîtres n'ont-ils pas laissé leurs animaux chez quelqu'un d'autre?
3 Grâce à Echange-Tendresse, qu'est-ce qu'on pourra faire?
4 Qu'est-ce que le maître devra faire de son côté?
5 Il y a trois choses à faire pour s'abonner à Echange-Tendresse. Lesquelles?

> *Il faut absolument empêcher tous ces affreux abandons d'animaux à l'approche des vacances!*

1 maillon Bonheur

Ce maillon vous associe à la Chaîne du Bonheur. Remplissez-le soit pour participer à «Echange-Tendresse», soit pour bénéficier de votre cadeau.

NOM: ....

PRENOM: ....

ADRESSE: ....

....

VILLE: ....

CODE POSTAL: ....

BULLETIN D'INSCRIPTION

Pour participer, renvoyez ce bulletin d'inscription, accompagné de 2 maillons du bonheur et d'un timbre à 2,30 F à:

POINT SAISIE OPERATION «ECHANGE-TENDRESSE», 9, avenue de Villiers -75017 PARIS

Mme ☐   Mlle ☐   M ☐

NOM _____ PRENOM _____

ADRESSE _____

CODE POSTAL_____ VILLE _____

TEL. _____ HABITANT EN PAVILLON ☐   EN APPARTEMENT ☐

Vous pouvez garder

UN CHIEN ☐
DE TAILLE: PETITE ☐   GRANDE ☐
                      MOYENNE ☐   INDIFFERENTE ☐

VOTRE PREFERENCE
    MALE ☐   FEMELLE ☐   INDIFFERENTE ☐

UN CHAT
VOTRE PREFERENCE
    MALE ☐   FEMELLE ☐   INDIFFERENTE ☐
Période pendant laquelle vous êtes disponible pour garder un animal:
    du ☐ ☐ ☐   au ☐ ☐ ☐
       Jour Mois   Jour Mois

Vous souhaitez faire garder

VOTRE CHIEN ☐
DE TAILLE: PETITE ☐   MOYEN ☐   GRANDE ☐
SA RACE: _____
SON SEXE: MALE ☐   FEMELLE ☐

VOTRE CHAT ☐
SA RACE: _____
SON SEXE: MALE ☐   FEMELLE ☐
Vous cherchez une personne pouvant accueillir votre animal:
       du ☐ ☐   au ☐ ☐
       Jour Mois   Jour Mois
Si nous ne pouvons trouver un correspondant dans votre département,indiquez, éventuellement, deux autres départements qui vous conviendraient.
2°département ☐ ☐   3°département ☐ ☐

Vos coordonnées seront connectées au serveur Minitel Fiido, qui réunit d'autres amis des animaux. Vous pourrez demander à être retiré de notre fichier à tout moment. Vous pouvez, en permanence, avoir accès aux informations vous concernant,conformément à la loi sur l'informatique et les

Il faudrait les sanctionner dans leur porte-feuille. Là ils seraient touchés!

Ces gens qui partent le coeur léger se bronzer au soleil alors que leurs petits compagnons pleurent et les attendent, c'est dégoûtant!

6.5

«Animaux heureux»

A Paris Madame Lepont a créé un organisme qui ressemble en quelque sorte à Echange-Tendresse. Voici l'article qu'a écrit un journaliste sur cette association. Avant de pouvoir l'écrire, il avait dû, bien sûr, poser des questions à Madame Lepont. A vous de formuler six questions.

B Échange-Tendresse impose six règles pour qu'un échange d'animal soit réussi. Ecoutez encore une fois le programme pour les identifier parmi les dix proposées ci-dessous.

On doit ...

1 ... signaler s'il y a d'autres animaux là où vous habitez.
2 ... empêcher l'animal de sortir seul.
3 ... refuser de n'accepter de paiement que pour les frais d'entretien de l'animal.
4 ... refuser de garder plus d'un seul animal à la fois.
5 ... être au courant de l'état de santé de l'animal.
6 ... obtenir le numéro de téléphone du maître habituel pendant que celui-ci est en vacances.
7 ... refuser de garder un animal que vous serez incapable de sortir.
8 ... exiger une caution dès l'arrivée de l'animal chez vous.
9 ... faire la connaissance de l'animal que vous allez garder avant le départ de son maître habituel.
10 ... refuser de garder l'animal pour une période de plus d'un mois.

C Ecoutez encore une fois la première partie de l'émission. Comment Madame Fénérol dit-elle ...?

1 many of you know it
2 thanks to ...
3 a host family ...
4 during the next few weeks ...
5 to make contact with them ...

D *Travail à deux*

Au bord de la route en France un chien vient d'être abandonné par un automobiliste qui est sur le point de repartir. Imaginez la conversation. Utilisez des phrases que vous avez déjà rencontrées dans cette unité pour vous aider.
Personne A: Vous, qui aimez les animaux, regardez avec horreur ce qui se passe. Vous abordez l'automobiliste en utilisant les idées exprimées par les gens ci-dessus.
Personne B: Vous n'acceptez pas les protestations de l'autre et vous expliquez les raisons qui vous ont poussé à vous débarrasser de votre chien.

VIVE LES ANIMAUX
FAMILLE AU PAIR

Madame Lepont a créé l'Association «ANIMAUX HEUREUX». Cette dernière a deux rôles, dont les objectifs sont d'aider et d'aimer toujours davantage nos compagnons les bêtes. Elle vous propose de placer vos animaux dans des familles d'accueil rémunérées. Ainsi durant votre absence, ils resteront dans une ambiance familiale et bénéficieront de soins et d'affections personnalisés. Le deuxième rôle de cette Association consiste à proposer aux personnes débordées, fatiguées, ou malades un service de promenade quotidienne ou de soins à leurs animaux. Des quatre coins de la France, propriétaires d'animaux ou désireux de devenir une famille d'accueil, n'hésitez pas à téléphoner à «Animaux heureux» 47, rue de l'Eglise, 75015 Paris, tél: (1) 40.58.12.17.

6.6 📖 ✏️

Brigitte Bardot, amie des animaux

Parmi les organismes qui luttent pour la protection des animaux, un des plus célèbres, c'est celui fondé par Brigitte Bardot, dont vous avez déjà entendu parler Richard (section 6.2).

Dans l'article suivant, on apprend ce qu'elle fait pour venir en aide aux animaux.

Son seul secret, c'est la passion qui brûle dans son coeur depuis si longtemps ...

Brigitte Bardot peut être contente d'elle. Une fois encore, elle vient de remporter une victoire pour les animaux qu'elle défend avec acharnement depuis tant d'années.

Grâce à son intervention, elle a réussi à interdire la fermeture du refuge de Saint-Jean-les-Amognes, dans la Nièvre. Un refuge qui existe depuis plus de vingt ans et que les services vétérinaires voulaient condamner. Jusqu'à ce que Brigitte ait vent de l'histoire, et s'en mêle!

Brigitte Bardot, qui retrouve toute la fougue de sa jeunesse quand il est question de défendre les animaux, n'a pas hésité à se rendre sur place pour mener la lutte et obtenir gain de cause. Mais le combat de Brigitte n'a pas été facile. Il lui a fallu batailler ferme et ce n'est qu'au bout de nombreuses heures d'âpres discussions, qu'elle a pu sauver la vie de cinquante malheureux chiens et chats.

Le secret de son étonnante jeunesse, c'est la passion qui brûle dans son coeur depuis déjà longtemps. Une passion sans borne pour les animaux qu'elle défend bec et ongles contre tous ceux qui veulent les tuer ou qui les font souffrir.

C'est cette croisade-là, les voyages qu'elle effectue de par le monde, l'énergie qu'elle dépense pour sauver les espèces en voie de disparition ou de simples chats de gouttière, tous ses combats qui la maintiennent en forme.

Porte-parole, avocat, défenseur, Brigitte Bardot peut jouer tous les rôles pour la cause qui est maintenant sa vie.

A Lisez l'article, puis faites la liste des actions entreprises par Brigitte Bardot.

B Voici des morceaux de phrases qui expriment le sens de l'article. A vous de trouver dans le texte l'expression originale qui correspond à chacun.

1 parce qu'elle s'en est mêlée
2 redevient aussi passionnée qu'autrefois
3 elle a dû lutter très fort
4 un amour illimité
5 les animaux dont la survie est menacée
6 lorsqu'il s'agit de

---

obtenir gain de cause *win a case, be proved right*
âpre *bitter*

C *A vous maintenant!*

Rendez en français le texte suivant, en vous référant à l'article que vous venez de lire.

"For many years I've been defending species which are in danger of extinction," said Brigitte Bardot to our reporter, "but I fight tooth and nail for all animals. I'm very glad, therefore, that we've been able to save more than fifty dogs. I've just been to see these poor creatures in a refuge which was going to be closed down." Once again, Brigitte Bardot has been victorious.

CONSOLIDATION

Revoyez: 6.6

Etudiez:
Constructions + l'Infinitif, pp. 148–50

Reprise: 3.3, 4.4

Exercez-vous:

Dans le texte vous trouverez plusieurs locutions qui consistent en un verbe à l'infinitif lié à un autre verbe (e.g. «elle vient de remporter»). Etudiez ces locutions, et puis rendez les phrases suivantes en français.

1 She has just arrived.
2 I managed to explain it.
3 It's a matter of getting involved in the struggle.
4 They did not hesitate to offer their help.
5 We came in order to show our interest.
6 You had to fight hard.
7 They made the poor dog suffer.
8 She had to spend a great deal of time and energy to save these animals.

6.7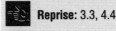

Les bêtes, sont-elles toujours nos «amies»?

Même si on s'entend bien avec son chien, il peut se montrer quelquefois agressif, surtout envers les enfants. Ecoutez cette interview avec un vétérinaire, le docteur Le Hé.

A Après avoir écouté ses conseils, lisez les phrases suivantes et dites si elles sont vraies ou fausses.

1 Un chien effrayé ne va pas forcément se montrer agressif.
2 Il attaque parce qu'il se croit menacé.
3 Un chien qui salive beaucoup truque la peur.
4 C'est très jeune que le chien apprend à régler sa façon de mordre.
5 Les enfants de cinq ans sont le plus souvent attaqués.
6 Les bébés sont en danger quand ils cherchent à caresser un chien caché sous une table.
7 Les teenagers ne courent pas de risques quand ils caressent un animal qui ne leur appartient pas.
8 En mordant, le chien montre qu'il ne veut pas qu'on le touche.

B En écoutant encore une fois l'interview, complétez les phrases suivantes.

1 C'est quand ____ terrifiant.
2 L'intensité de ses morsures ____ d'existence.
3 Les petits sont ____ meuble.
4 Les adultes ____ l'accident se produit.

C *A discuter et à décider*

On entend parler très souvent des chiens dangereux qui agressent les enfants. Etes-vous pour ou contre un contrôle plus rigoureux en ce qui concerne les chiens? Discutez en groupes de trois ou quatre personnes: L'un de vous doit noter les arguments et formuler une conclusion. Si vous voulez, organisez vos notes en «pour» et «contre».

6.8

Le chien du vieux Salamano

C'est quelquefois les chiens eux-mêmes qui sont les victimes. Même s'ils ne sont pas abandonnés, ils sont quelquefois maltraités par leur maître. Dans *L'Etranger* d'Albert Camus, le narrateur, Meursault, décrit la triste vie de l'épagneul de son voisin, le vieux Salamano.

A Lisez cet extrait et retrouvez dans le texte une expression qui a le même sens, ou presque, que chacune des suivantes.

1 parce qu'ils habitent ensemble
2 ils semblent être
3 encore une fois
4 ils ont suivi toujours le même chemin
5 cela ne change jamais

B Notez toutes les actions spécifiques qui montrent la cruauté ou la dureté du vieillard.

C *Travail à deux*

Personne A: Vous travaillez pour la SPA (Société Protectrice des Animaux), et on vous a dit qu'un vieil homme, Salamano, abuse de son chien. Vous allez chez Salamano pour lui en parler et pour faire un rapport officiel. Salamano refuse de vous parler, alors vous consultez son voisin/sa voisine. Interviewez-le/-la et répertoriez les détails requis (voyez le constat officiel imprimé à la page 77).

Personne B: Vous êtes le voisin/la voisine du vieux Salamano. Répondez aux questions que vous posera l'employé de la SPA.

Finissez tous les deux par donner votre opinion de ce qui s'est passé.

En montant, dans l'escalier noir, j'ai heurté le vieux Salamano, mon voisin de palier. Il était avec son chien. Il y a huit ans qu'on les voit ensemble. L'épagneul a une maladie de peau, le rouge, je crois, qui lui fait perdre presque tous ses poils et qui le couvre de plaques et de croûtes brunes. A force de vivre avec lui, seuls tous les deux dans une petite chambre, le vieux Salamano a fini par lui ressembler. Il a des croûtes rougeâtres sur le visage et le poil jaune et rare. Le chien, lui, a pris de son patron une sorte d'allure voûtée, le museau en avant et le cou tendu. Ils ont l'air de la même race et pourtant ils se détestent. Deux fois par jour, à onze heures et à six heures, le vieux mène son chien promener. Depuis huit ans, ils n'ont pas changé leur itinéraire. On peut les voir le long de la rue de Lyon, le chien tirant l'homme jusqu'à ce que le vieux Salamano bute. Il bat son chien alors et il l'insulte. Le chien rampe de frayeur et se laisse traîner. A ce moment, c'est au vieux de le tirer. Quand le chien a oublié, il entraîne de nouveau son maître et il est de nouveau battu et insulté. Alors, ils restent tous les deux sur le trottoir et ils se regardent, le chien avec terreur, l'homme avec haine. C'est ainsi tous les jours. Quand le chien veut uriner, le vieux ne lui en laisse pas le temps et il tire, l'épagneul semant derrière lui une traînée de petites gouttes. Si par hasard le chien fait dans la chambre, alors il est encore battu. Il y a huit ans que cela dure. Céleste dit toujours que «c'est malheureux», mais au fond, personne ne peut savoir. Quand je l'ai rencontré dans l'escalier, Salamano était en train d'insulter son chien. Il lui disait: «Salaud! Charogne!» et le chien gémissait. J'ai dit: «Bonsoir», mais le vieux insultait toujours. Alors je lui ai demandé ce que le chien lui avait fait. Il ne m'a pas répondu. Il disait seulement: «Salaud! Charogne!» Je le devinais, penché sur son chien, en train d'arranger quelque chose sur le collier. J'ai parlé plus fort. Alors, sans se retourner, il m'a répondu avec une sorte de rage rentrée: «Il est toujours là.» Puis il est parti en tirant la bête qui se laissait traîner sur ses quatre pattes, et gémissait.

un épagneul *spaniel*	**le museau** *muzzle*
le poil *hair*	**buter** *to stumble*
la plaque *sore*	**ramper** *to cringe, crawl*
la croûte *crust, scab*	**semer** *to sow*
voûté(e) *stooped*	**deviner** *to guess, come across*

CONSTAT OFFICIEL

Questions

1 race de l'animal
2 état de santé de l'animal
3 détails précis des abus commis
4 lieu où l'abus a été commis
5 durée du problème
6 observations supplémentaires du témoin

D Chacun des verbes suivants se trouve dans l'extrait que vous venez de lire. A vous de chercher, en utilisant votre dictionnaire s'il le faut, le nom correspondant. Le premier exemple est déjà fait.

verbe	nom
monter	la montée
voir	
perdre	
promener	
changer	
oublier	
regarder	
rencontrer	
gémir	

CONSOLIDATION

Revoyez: 6.6, 6.8

Etudiez:
Indicatif présent, p. 142

Exercez-vous:

Référez-vous aux deux articles pour vous aider à dire en français:

1 She has been waiting for so many hours.
2 I've already been doing it for a long time.
3 It's been in existence for less than a month.
4 That's been dragging on for six months.
5 She's been going out with Thomas for two years.
6 For a term they haven't exchanged a single word.

6.9

La rage en Europe

Il y a cent ans, la rage canine s'était répandue dans toute l'Europe. Elle disparut pratiquement lors de la Grande Guerre, mais se développa à nouveau dès 1939 à partir de renards contaminés en Pologne, pour atteindre la France en 1968.

La rage est une préoccupation constante de nombreux gouvernements; les risques de l'infection rabique de la Grande-Bretagne, liés au percement du tunnel sous la Manche, ont été évoqués par les opposants au tunnel.

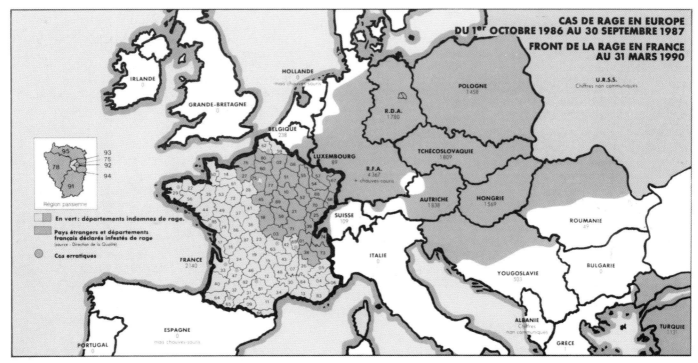

UNE MALADIE MORTELLE

La rage est une maladie virale provoquée par morsure, griffure ou léchage par un animal enragé. Inoculé à travers la peau, le virus va gagner le système nerveux central en cheminant le long des nerfs. Le virus rabique se multiplie ensuite dans les glandes salivaires; la salive constitue ainsi la source de contamination principale. Lorsque la rage est déclarée, elle est dans tous les cas totalement incurable et évolue inexorablement vers la mort.

Chez l'homme, comme chez l'animal, l'incubation est le plus souvent totalement silencieuse et dure de quelques semaines à quelques mois. Chez l'animal, la rage se traduit par des troubles du comportement. Chez l'homme, un des symptômes caractéristiques en est l'hydrophobie: crises démentielles à la présentation d'un verre d'eau. L'intelligence reste intacte jusqu'à l'apparition d'un coma mortel.

En cas de morsure ou de griffure

Il faut immédiatement laver la plaie avec de l'eau et du savon; on peut ensuite appliquer des désinfectants habituels (teinture d'iode, eau de javel, etc.). Il faut éviter de suturer immédiatement la plaie et ne pas oublier la prévention du tétanos et des infections bactériennes toujours fréquentes.

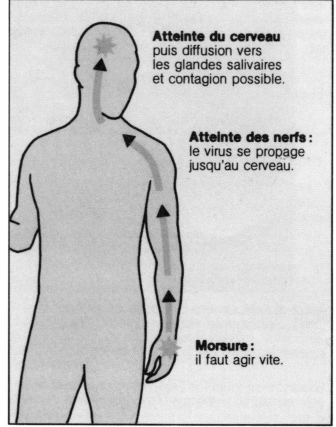

Atteinte du cerveau puis diffusion vers les glandes salivaires et contagion possible.

Atteinte des nerfs: le virus se propage jusqu'au cerveau.

Morsure: il faut agir vite.

A Lisez l'article sur la rage, puis corrigez les fautes dans les phrases suivantes.

1 On ne peut devenir contaminé que si l'on est mordu par un animal enragé.
2 Le virus ne peut pénétrer la peau que par une blessure.
3 Le virus attaque le système nerveux par les glandes salivaires.
4 Lorsqu'une victime est contaminée, la mort est toujours rapide.
5 Chez l'animal, le premier signe de la rage est une peur extrême de l'eau.
6 Chez l'homme, la crise diminue si l'on voit un verre d'eau.
7 La victime n'est pas consciente de ce qui lui arrive.

B *Travail à deux*

Vous revenez en Angleterre après un séjour en France. Juste avant de passer par la douane vous remarquez un(e) Français(e) qui semble vouloir faire passer son petit chien, en essayant de le cacher dans un sac.

Personne A: Vous avez vu les affiches sur la rage en Europe et vous êtes bien renseigné sur les dangers. Expliquez le problème à cette personne et montrez que vous êtes fâché(e) à l'idée de faire entrer en cachette un animal en Angleterre.

Personne B: Expliquez pourquoi vous avez l'intention de faire entrer votre chien en fraude et dites qu'il a été vacciné et qu'il n'y a pas de risques.

Utilisez les phrases suivantes pour vous aider.
– Avez-vous bien l'intention de ...?
– Ne savez-vous pas que ...?
– Etes-vous conscient(e) du règlement ...?
– Mon cas est différent ...

6.10 📖

Edgard, chien exceptionnel

Quelquefois les chiens remplissent des fonctions qui sortent un peu de l'ordinaire. Lisez l'histoire d'Edgard, un chien remarquable, puis répondez en français aux questions qui suivent l'article, avec des phrases complètes.

Soudain, Edgard s'enfuit avec la jambe ...

Les douaniers du port autonome de Marseille sont très fiers d'Edgard. Edgard n'est ni un agent secret, ni un système informatique sophistiqué pour repérer les trafiquants de drogue, c'est un chien! Un labrador à la robe châtain foncé qui n'a pas son pareil pour renifler les plaquettes de hasch ou les sachets de cocaïne.

Mardi soir, avec son compère Unis, un autre labrador, il était de permanence sur les quais de la gare maritime. A l'arrivée du «Zeralda», un car ferry en provenance d'Alger, il se met à aboyer autour d'une

BMW immatriculée en Algérie. A son bord, deux Nord-Africains fraîchement débarqués qui font mine de ne pas comprendre l'intérêt manifesté par le chien.

La voiture est immédiatement inspectée de fond en comble par les douaniers. Pas la moindre trace de produit suspect.

Mais Edgard continue d'aboyer de plus belle.

Soudain, il tire violemment sur la laisse. Il échappe à son maître et se jette sur le passager du véhicule. Il le mord au mollet et se sauve avec sa jambe ... Stupeur des douaniers.

L'homme, Maki Okaben, un unijambiste de trente-neuf ans, avait en fait dissimulé dans sa prothèse en plastique six plaquettes soit 1,6 kilogramme de hasch.

La jambe creuse a été méticuleusement vidée avant d'être rendue à son ingénieux propriétaire qui a ensuite pris le chemin de l'hôtel de police avec son complice, Benali Semoud, le conducteur, âgé de trente ans. Tous deux ont été placés en garde à vue.

Quant à Edgard qui, une fois de plus, a étonné son maître, il a eu droit à une double ration de viande pour son repas du soir.

A

1 Pourquoi était-on fier d'Edgard?
2 Donnez quatre renseignements sur les deux trafiquants.
3 Qu'est-ce que les douaniers ont trouvé dans la voiture?
4 Comment Edgard a-t-il réveillé l'intérêt des douaniers?
5 Dans cet article, quel est le sens du mot «prothèse»?
6 Qu'est-ce qu'on a fait des deux trafiquants?
7 Quelle récompense a-t-on donnée à Edgard?

B

Maintenant, relisez l'article. Retrouvez-y un mot ou une expression qui a le même sens, ou presque, que chacun des suivants.

1 indépendant
2 au travail
3 qui venait
4 égal
5 montré
6 plus petite
7 caché
8 en ce qui concerne

C

Lisez maintenant ce résumé du même article. Remplissez les blancs à l'aide des mots du texte original avec, chaque fois, un seul mot, mais attention! il vous faudra changer la *forme* de chaque mot. Ne recopiez pas le texte: écrivez une liste numérotée de 1 à 12.

Je suis très ____ (1) d'Edgard. La semaine dernière il a ____ (2) deux trafiquants de drogue. Nous ____ (3) à la gare maritime quand un car-ferry, le «Zeralda» est ____ (4) d'Alger. Edgard s'est ____ (5) à aboyer près d'une voiture ____ (6). Nous avons ____ (7) le véhicule mais nous n'avons pas trouvé de drogues. Soudain, Edgard a ____ (8) un des hommes au mollet et s'est ____ (9) avec sa jambe! Elle était artificielle. Après avoir ____ (10) la prothèse creuse nous avons ____ (11) le membre à son propriétaire avant de ____ (12) celui-ci en garde à vue.

CONSOLIDATION

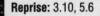 **Revoyez:** 6.10

 Etudiez:
Le Passé Composé, pp. 143–4
Le Passé Simple, pp. 145–6

Reprise: 3.10, 5.6

Exercez-vous:

Complétez les phrases suivantes en mettant les verbes entre parenthèses au Passé Composé. Puis, refaites-les, en mettant les verbes au Passé Simple.

1 Les douaniers [arriver] au quai.
2 Les Algériens [faire mine de] ne pas comprendre.
3 Nous [se mettre à] inspecter la voiture.
4 Le chien [se jeter] sur le passager.
5 Edgard [saisir] la prothèse.
6 Les trafiquants [dissimuler] la drogue dans la jambe.
7 Je [rendre] la jambe à son propriétaire.
8 Edgard [recevoir] une double ration de viande.

6.11

Le trafic d'animaux volés

La lettre suivante proteste contre le vol des animaux domestiques qu'on va soumettre aux expériences scientifiques.

«Il faut arrêter le vol et le trafic de chiens et chats»

J'ai été bouleversée lors de l'information donnée, il y a quelque temps, du vol d'une chienne guide d'aveugle. Je voudrais qu'on reparle du trafic d'animaux que l'on oublie et qui, pourtant, augmente d'année en année, sans que nos pouvoirs publics et nos journaux fassent grand-chose pour l'arrêter.

C'est une honte! Tous les moyens sont bons pour se procurer des animaux et les vendre aux laboratoires. En banlieue parisienne, où j'aide de mon mieux à la protection de nos petits compagnons, on me signale de plus en plus de disparitions, sans espoir de les retrouver. D'ignobles individus les volent dans nos jardins, devant les boutiques où les maîtres les attachent pendant qu'ils font leurs courses … Sur le parking, dans les voitures même, plusieurs chiens ont été dérobés en cassant une vitre, sans compter tous ceux qui fuguent et qui sont ramassés par des individus qui sillonnent toutes les rues de banlieue à longueur de journée pour les capturer! Même sous couvert d'élever des chiens ou de les garder en pension, un homme est soupçonné depuis longtemps de fournir aux laboratoires les chiens et les chats qu'ils volent à leurs maîtres … Tous les amis des animaux en parlent … Il faut que ce trafic cesse, il faut sensibiliser l'opinion.

---

dérober *to snatch*
sillonner *to prowl*

A Comment dit-on en français dans la lettre …?

1 I was upset.
2 I would like to bring up the subject again.
3 to obtain
4 I do the best I can.
5 all day long

6 stolen
7 disgraceful
8 those who run away
9 to provide
10 to make people aware

B Quels sont les points principaux cités par l'auteur? Résumez son argument en trois ou quatre phrases et expliquez-le à votre partenaire/groupe.

C *A vous maintenant!*
Ecrivez une lettre à l'éditeur d'un journal pour vous plaindre d'un incident, où il s'agit d'un animal, qui vous a profondément choqué. Ecrivez 150–200 mots.

Unité 7 — *L'Air du temps*

En France la scène musicale diffère de celle qu'on trouve ailleurs: en effet, les chanteurs d'une époque révolue ont leur place dans le coeur des jeunes. Cette affection est souvent transmise par leurs parents et leur famille. Un chanteur vivant de 50 ans, ou même mort depuis 20–30 ans, peut influencer la mémoire collective d'une toute autre génération. Dans cette unité on va faire la connaissance de plusieurs chanteurs/chanteuses de cette catégorie. D'abord, considérons cette publicité qui donne un aperçu sur le rôle important joué par la musique dans la vie des Français.

FETE DE LA MUSIQUE?
FAITES DE LA MUSIQUE!

Vendredi 21 juin, les musiciens n'en feront qu'à leur Fête.

●

Débutant, amateur éclairé ou professionnel chevronné, que vous aimiez le jazz, le rock, le rap ou J. S. Bach, descendez dans la rue avec vos instruments et partagez votre plaisir avec un public disponible. Tous les lieux possibles et imaginables peuvent accueillir votre concert, fruit de l'inspiration du moment ou projet longuement mûri. Seule règle du jeu; la gratuité de votre concert. Dans toute la France, vous trouverez des interlocuteurs privilégiés dans les Directions Régionales des Affaires Culturelles, qui vous fourniront gratuitement affiches et bandeaux pour promouvoir votre manifestation. Pour vous assurer de leur soutien, pensez aussi à prévenir les autorités de votre ville.

●

Et si vous ne jouez d'aucun instrument, découvrez la musique des autres: la surprise est au coin de la rue. Par ailleurs, vous pouvez vous-mêmes participer à l'organisation des concerts ou les accueillir, sur votre lieu de travail, au sein d'une association, d'une école …

●

Pour tous, rendez-vous sur *36 15 Musique*. Vous y trouverez tous les renseignements pratiques pour vous aider à faire la Fête et les concerts annoncés dans toute la France. Mieux encore: vous pouvez vous-mêmes signaler votre projet.

7.1

Fête de la musique

A Les phrases suivantes sont-elles vraies ou fausses, selon la publicité? Là où elles sont fausses, donnez les détails corrects.

1 Dans cette publicité on ne vise que les musiciens professionnels.
2 Ce jour-là on a le droit de jouer n'importe où.
3 Avant de donner un concert, on doit répéter pendant longtemps.
4 On ne doit pas demander d'argent pour les billets.
5 On vous aidera à organiser votre représentation.
6 On est obligé d'avertir la municipalité avant de donner un concert.
7 On doit être musicien afin de pouvoir participer.
8 On pourra se renseigner sur cette fête dans le magazine *36 15 Musique*.

B Relisez la publicité et retrouvez-y un mot ou une phrase qui a le même sens, ou presque, que chacun des suivants.

1 enthousiaste mais qui n'a pas beaucoup d'expérience
2 recevoir
3 développé depuis longtemps
4 donneront
5 faire de la publicité pour
6 aide
7 pouvoirs publics
8 pas loin
9 dans
10 réaliser

C Les mots qui se trouvent dans cette grille sont utilisés dans la publicité que vous venez d'étudier. A vous de trouver les mots qui manquent: ou le nom ou le verbe.

Nom	Verbe
un amateur	
	descendre
le plaisir	
	accueillir
	promouvoir
le soutien	
	découvrir
la surprise	
	annoncer

CONSOLIDATION

 Revoyez: 7.1

 Etudiez:
Tout/toute, etc, p. 140

Exercez-vous:

Dans le dépliant vous avez lu «tous les lieux/toute la France/tous les renseignements/pour tous». Mettez la forme correcte de l'adjectif *tout* devant les noms suivants tirés du texte:

1 ...... débutant
2 ...... votre plaisir
3 ...... les règles
4 ...... les interlocuteurs
5 ...... les autorités
6 ...... le projet
7 ...... les instruments
8 ...... l'inspiration
9 ...... les affiches
10 ...... leur soutien
11 ...... la musique
12 ...... l'affaire.

CONSOLIDATION

Revoyez: 7.1

Exercez-vous:

Vous trouverez ci-dessous quelques **cognats** rencontrés dans le texte. Un «cognat» est un mot qui a presque la même prononciation dans les deux langues et la même signification. Répertoriez tous les cognats de cette publicité. Il y en a combien? Essayez de les trouver tous! Pour vous aider, nous avons noté ci-dessous les quatre premiers exemples.

fête	musique	publicité	nationale

D *Travail à deux*

Vous venez d'arriver en France avec un copain/une copine et vous apprenez que le lendemain ce sera la Fête de la Musique. Par bonheur vous avez votre guitare avec vous et vous chantez bien tous les deux.
Personne A: Persuadez votre copain/copine que vous avez le droit de faire un concert – vous avez déjà lu la publicité. Puis mettez-vous d'accord sur les détails précis du concert – lieu, heure, publicité etc.
Personne B: Vous avez des doutes sur l'aspect pratique d'un tel concert. Posez des questions pour vous assurer que tout est en ordre, puis, étant convaincu(e), aidez votre partenaire à organiser le concert.

7.2

Le festival de Lorient

Voilà pour La Fête Nationale de la Musique. Mais saviez-vous qu'il y a aussi en France de nombreux festivals régionaux?

Yann-Lukas Le Liboux, habitant à Lorient et journaliste chez *Ouest-France*, parle du Festival de la Musique qui a lieu chaque année dans sa ville, sur la côte de la Bretagne.

> *Tous les ans, au mois d'août,*
> *Lorient reçoit les Celtes des autres pays d'Europe.*
> *C'est-à-dire que, nous, nous sommes Bretons, nous ne sommes*
> *pas des Français tout à fait comme les autres parce que nous*
> *sommes d'origine celtique.*
> *Alors, ce qui nous réunit, ce sont les langues de même*
> *provenance, les langues celtes, mais c'est aussi une certaine*
> *façon de vivre, la vie d'aujourd'hui, une sorte d'âme*
> *un peu rebelle et en même temps rêveuse qui*
> *caractérise les Celtes à travers l'histoire.*

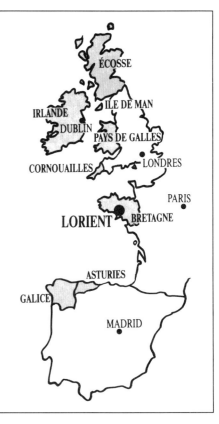

Lisez ce que dit Yann-Lukas comme introduction, puis écoutez la première partie de l'enregistrement, où il nous explique ce festival régional de la musique. Prenez des notes pour pouvoir compléter le premier exercice.

B Comment Yann-Lukas dit-il ...?

1 first and foremost
2 you are familiar with
3 Breton style
4 in recent years
5 accidentally

C
Maintenant, écoutez la deuxième partie de l'enregistrement et faites une liste de tous les pays qui sont mentionnés.

D
Ecoutez encore une fois cette deuxième partie et remplissez les blancs dans les phrases suivantes.

1 Le Festival de Lorient ____ environ.
2 Un autre quart ____ par les Espagnols.
3 Ce festival est ____ dans la mesure où ____ très très forte.
4 On se rend ____ -Unis.
5 Effectivement ____ 60,000 habitants.
6 En dix jours ____ festivaliens.

A

1 Expliquez ce que c'est exactement que le Festival de Lorient.
2 Yann-Lukas mentionne trois genres de musique. Lesquels?
3 Quels sont les trois pays ou régions dont il parle?

7.3

Qui était Edith Piaf?

Jusqu'à présent nous avons considéré quelques façons de participer à la musique et de la célébrer. Mais qui sont les chanteurs/chanteuses qui ont beaucoup influencé la musique populaire française?

Une chanteuse qui a beaucoup marqué la musique populaire, c'est Edith Piaf. Même aujourd'hui, plus d'un quart de siècle après sa mort, il existe toujours l'organisation, «Les amis d'Edith Piaf» dont la fonction est de préserver sa mémoire. Tragédie, courage et détermination sont en toile de fond de ses chansons comme de sa vie. Elle chante, dit-on, «avec ses tripes».

HOMMAGE A EDITH PIAF

Dix mille personnes, parmi lesquelles de nombreuses femmes âgées et des enfants, s'écrasaient jeudi après-midi sur les barrières bloquant la rue de Belleville, où, à la hauteur du numéro 72, avait lieu l'inauguration d'une plaque à la mémoire d'Edith Piaf.

Maurice Chevalier, autre enfant de Belleville, exalta la mémoire de la grande chanteuse et termina par ces mots: «Nous nous reverrons bientôt, Piaf. Au revoir!» Il découvrit ensuite la plaque qui porte en lettres d'or: «Sur les marches de cette maison naquit le 19 décembre 1915 Edith Piaf, dont la voix, plus tard, devait bouleverser le monde.»

● UNE JOURNEE EDITH PIAF *sera organisée le vendredi 18 novembre, de 6 heures à 22 heures, par Radio-Luxembourg. Tous les succès de la chanteuse, ainsi qui son dernier récital à l'Olympia, seront diffusés au cours de cette journée spéciale à laquelle participeront plusieurs de ses amis.*

● L'association Les amis d'Edith Piaf donnera mardi 29 octobre, à 20 h. 45, à Bobino, au profit de l'Amicale des anciens du Moulin-Vert, son premier grand gala en hommage à la chanteuse disparue, avec la participation de Lucienne Boyer et Michel Simon. (Location: 20, rue de la Gaîté, tél. 326-68-70.)

Sa vie fut un roman noir et mélo, ses chansons disent les mauvais coups du destin.

A   Après avoir lu les faits divers sur Edith Piaf, remplissez la grille ci-dessous:

1 Le nombre de la foule lors de la découverte de la plaque	
2 La raison de la pose de la plaque	
3 Le nom de l'ancien chanteur présent	
4 La date de naissance d'Edith Piaf	
5 Le lieu du concert en hommage à Piaf	
6 Les instigateurs du gala	
7 Les bénéficiaires du gala	

La môme en noir

Après l'avoir mise au monde, rue de La Villette, sa mère disparut. Edith fut élevée par une de ses deux grands-mères, en Normandie. Une grand-mère alcoolique, qui tenait un hôtel de passe. Son père, acrobate des rues, l'emmenait quelquefois en tournée avec lui. Une gamine qui chante, ça attendrit toujours le passant! A quinze ans, elle décide de faire la manche toute seule. A dix-sept ans, elle est enceinte. Sa fille mourra deux ans plus tard. Adolescente, elle a déjà tout connu. Même la nuit noire des aveugles, dont elle s'est tirée en priant sainte Thérèse de Lisieux. Traînant à Pigalle jusqu'à ce que Louis Leplée, directeur d'un cabaret chic, l'engage sous le nom de la Môme Piaf, elle poursuit son apprentissage sordide. Elle sait tout ce que cachent ces «ombres de la nuit», que l'on appelle à l'époque, comme par antiphrase, des «filles de joie».

Et puis la gloire. L'argent et les amours qui défilent. Avec, toujours, ces coups du destin qui rappellent à l'ordre. Début 1949, elle écrit l'*Hymne à l'amour*, pour Marcel Cerdan, l'homme de sa vie. La fille des rues changée en reine rencontre un champion du monde de boxe: le choc de deux mythologies. Le 28 octobre, l'avion du champion s'écrase au-dessus des Açores alors qu'il allait la rejoindre à New-York. Le soir même, à Versailles, Edith attaque: *«Peu importe, si tu m'aimes, je me fous du monde entier»*, puis s'écroule sur la scène, évanouie. Elle n'échappera plus, désormais, aux fantômes de l'alcool et de la drogue.

la môme *brat, kid*
mélo *melodrama(tic)*
l'hôtel de passe *brothel*
gamin(e) *urchin*
attendrir *to soften, touch*
Pigalle *area of Paris*
le piaf *sparrow*
par antiphrase *ironically*
les Açores *the Azores (islands)*
désormais *from then on*
faire la manche *to pass the hat round*

B Lisez l'article «La môme en noir», puis rangez par ordre chronologique les événements suivants qui ont marqué la vie d'Edith Piaf.

1 première grande tragédie
2 début de sa carrière professionnelle
3 abandon par sa mère
4 indépendance financière
5 mort de son grand amour
6 influences peu désirables au cours de sa jeunesse
7 traumatisme dramatique devant son public
8 première connaissance du public
9 perte de vue provisoire
10 richesse et célébrité

CONSOLIDATION

 Revoyez: 7.3

Etudiez:
Le Passé Simple, pp. 145–6

Reprise: 6.10

Exercez-vous:

Dans le texte «La Môme en noir» le journaliste s'est servi de plusieurs formes des verbes. Au début de l'article, il y a deux verbes au Passé simple; à la suite, on a une variété de temps. Remplissez les blancs dans cette grille; le premier exemple est fait.

forme dans le texte	infinitif	passé simple
mise	mettre	je mis
elle tenait		elle ......
il emmenait		il ......
ça attendrit		ils ......
elle décide		il ......
elle mourra		ils ......
connu		nous ......
traînant		ils ......
elle poursuit		je ......
elle sait		elle ......
ils rappellent		nous ......
il s'écrase		elle ......

C *Travail à deux*

Avant d'écrire son article, le/la journaliste avait dû se renseigner auprès des gens qui avaient connu la chanteuse célèbre.

Personne A: Vous êtes le/la journaliste; posez dix questions à un(e) ami(e) d'Edith Piaf en utilisant à chaque fois un des verbes suivants.

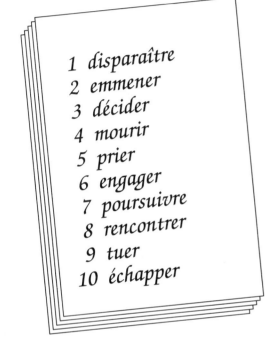

1 *disparaître*
2 *emmener*
3 *décider*
4 *mourir*
5 *prier*
6 *engager*
7 *poursuivre*
8 *rencontrer*
9 *tuer*
10 *échapper*

Personne B: Vous êtes un(e) des amis d'Edith Piaf. Répondez aux questions du/de la journaliste.

Vous trouverez utile de vous référer aux exercices A et B, avant de répondre.
Exemple (disparaître):
Journaliste: Quand est-ce que la mère d'Edith a disparu?
Ami: Elle a disparu après la naissance de sa fille.

7.4

L'amour obsessif d'un fan

Si la mémoire de Piaf reste vivante en France, c'est surtout à cause de sa musique et de sa vie tragique et courageuse. Pourtant, d'autres chanteurs et chanteuses ont laissé derrière eux des fans qui leur vouent un véritable culte. Dans leurs rangs il y a Dalida, une belle femme d'origine egyptienne qui a connu en France et dans beaucoup des pays du monde un succès énorme à partir des années 60.

DALIDA: Cet homme a voulu se suicider ...

Il s'appelle Robert Duvernier, il a 42 ans. Et, depuis trente-quatre ans, il nourrit une véritable passion, un amour sans limites pour Dalida, la grande chanteuse trop tôt disparue.

Une vénération si intense qu'il a songé, lui aussi, à se suicider quand il a appris la mort de son idole. «Ce fut un tel déchirement pour moi que j'ai sombré dans la dépression, nous a-t-il avoué. J'ai même envisagé de me tuer, mais je n'ai pas été assez courageux pour passer à l'acte.»

Fidélité

S'il n'a pas commis l'irréparable, Robert Duvernier est cependant resté d'une fidélité absolue à celle qu'il adore depuis toujours, ou presque. Car il avait 8 ans quand il est tombé amoureux de Dalida!

«C'est à cet âge-là que je l'ai entendue chanter pour la première fois à la radio, nous a-t-il précisé. Depuis, elle fait partie de ma vie.»

Oui, depuis, pas un jour ne s'est écoulé sans que Robert ne pense, ne rêve à elle. Comment s'étonner alors que, pour ce modeste agent administratif du Gaz de France, l'existence soit devenue soudain si terne depuis que Dali n'est plus ...

«Aujourd'hui, je me sens totalement perdu», avoue-t-il.

Heureusement, il lui reste les souvenirs: les nombreuses photos dédicacées de la vedette qu'il a disposées un peu partout dans son confortable appartement situé à Mérignac (Gironde).

Rencontre

Des coupures de journaux, les disques de la chanteuse, les cassettes-vidéo de ses apparitions télévisées, etc.

«Celle-là, nous dit-il en nous montrant du doigt une photo, c'était ma première rencontre avec Dalida, en 1967, à Pessac, en Gironde. Elle était venue y donner un gala.

«Avec mon meilleur ami, Michel, nous l'avons attendue dans le hall de son hôtel, de 6 heures du matin à midi.

«Quand, enfin, elle est sortie sous la pluie, je lui ai offert des roses rouges, et elle a accepté de poser avec moi pour une photo.

«Elle était belle, elle avait relevé ses beaux cheveux en chignon ...»

Ebloui

La suite a tellement bouleversé Robert qu'elle est restée à jamais gravée dans la mémoire de Robert.

«Elle m'a embrassé sur la joue. Elle était parfumée avec «Arpège», de Lanvin, nous confie-t-il encore tout ébloui. Toute la journée, son parfum est resté accroché à mes vêtements. Le soir, je n'ai pas voulu me laver pour conserver son odeur ...»

Une autre photo sur le mur. Un autre souvenir. Encore plus attachant celui-là, car c'est sa dernière entrevue avec la chanteuse.

«C'était à Tarbes, raconte-t-il. Comme il était impossible de l'approcher pendant son tour de chant, j'étais allé l'attendre de nouveau à son hôtel. Lorsqu'elle est sortie, elle m'a reconnu et m'a invité à venir la voir le lendemain, à Bagnères-de-Bigorre, dans sa caravane.

«Je n'oublierai jamais ce moment-là. Mon coeur battait à tout rompre. J'étais tellement ému que je suis resté sans voix.

«De nouveau, Dalida a accepté de poser avec moi pour des photos prises par mon copain Michel. C'était tellement difficile pour moi de l'approcher que ces rares instants restent des souvenirs inoubliables ...»

Robert n'a pas seulement essayé de la rencontrer, il a sans cesse entretenu une correspondance avec elle.

le **déchirement** *terrible blow*
s'écouler *to go by (time)*
terne *drab, dull*
bouleverser *to move, affect*

PAR AMOUR POUR ELLE!

«Un jour, je lui ai envoyé des poèmes qu'elle m'avait inspirés. Elle m'a adressé un petit mot où elle avait écrit: «Merci, Robert. J'espère vous faire rêver encore longtemps.»

Seulement, on ne vit pas une passion aussi forte sans en payer le prix. Robert a tellement admiré Dalida qu'aucune femme n'a réussi à la lui faire oublier. Oui, aucune femme n'a réussi à se faire épouser par ce célibataire endurci. Robert en a aimé trois: Patricia, Francine, puis Martine. Mais elles n'étaient pas Dalida …

«C'est vrai que mon admiration pour Dalida m'a peut-être fait passer à côté de l'amour, avoue-t-il, mais je ne regrette rien, parce que Dalida m'a fait vivre de merveilleux moments de bonheur.»

«Un soir, elle m'a embrassé. Je ne me suis pas lavé pour garder son parfum»

A Lisez cet article sur Dalida et écrivez en français votre réponse aux questions suivantes.

1 En apprenant la mort de Dalida qu'est-ce que Robert Duvernier a pensé faire?
2 Qu'est-ce qui, au départ, avait attiré Robert?
3 Pourquoi les photos de Dalida lui sont-elles si précieuses?
4 Racontez la première rencontre de Robert avec Dalida.
5 Qu'est-ce que Robert a fait pour garder le souvenir de ce moment?
6 Pourquoi n'oubliera-t-il jamais sa dernière rencontre avec Dalida?
7 Quel effet les poèmes de Robert ont-ils eu sur elle?
8 Pourquoi Robert ne s'est-il jamais marié?

B Exprimez autrement ces expressions et phrases trouvées dans le texte.

1 trop tôt disparue
2 J'ai sombré dans la dépression.
3 d'une fidélité absolue
4 depuis que Dalida n'est plus
5 Elle est restée à jamais gravée dans la mémoire.
6 J'étais tellement ému que je suis resté sans voix.
7 Il a sans cesse entretenu une correspondance avec elle.
8 Mon admiration pour Dalida m'a peut-être fait passer à côté de l'amour.

C Rendez en anglais les trois paragraphes qui suivent le titre «Fidélité» («S'il n'a pas … Dali n'est plus …»).

D *Travail à deux*

Après avoir assisté à un concert donné par votre chanteur/chanteuse préféré(e), vous attendez devant sa loge. Enfin, il/elle sort. Vous vous trouvez face à face.

Personne A (le fan): Exprimez vos sentiments auprès de la star et expliquez pourquoi vous l'admirez, depuis quand, les preuves de votre enthousiasme, et ce que vous voulez.

Personne B (la star): Bien que fatigué(e) vous êtes quand même reconnaissant(e) de l'admiration de votre fan. Donnez des réponses détaillées à toutes ses questions et offrez-lui un petit cadeau en souvenir de cette rencontre.

CONSOLIDATION

Revoyez: 7.4

Etudiez:
Les pronoms démonstratifs, p. 137

Exercez-vous:

1 Voilà quelques exemples de «celui/celle» utilisés dans l'article. Rendez-les en anglais:
 a une fidélité absolue à *celle* qu'il adore …
 b *celle-là* c'était ma première rencontre …
 c Encore plus attachant, *celui-là* …
2 Remplissez les blancs avec la forme correcte:
 a Une haine totale de …… qu'elle craignait. (=l'homme)
 b ……-là étaient mes premières copines.
 c Encore plus troublant, ……-là était armé.
 d La pellicule? …… que vous cherchez est dans le tiroir.
 e ……-ci sont plus chers,
 f ……-là sont meilleur marché.
 g Ah oui, Carole et Robin – ……-ci était moins prudent!

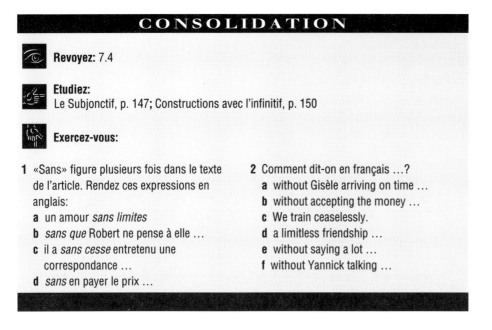

👁 **Revoyez:** 7.4

✋ **Etudiez:**
Le Subjonctif, p. 147; Constructions avec l'infinitif, p. 150

✋ **Exercez-vous:**

1 «Sans» figure plusieurs fois dans le texte de l'article. Rendez ces expressions en anglais:
  a un amour *sans limites*
  b *sans que* Robert ne pense à elle …
  c il a *sans cesse* entretenu une correspondance …
  d *sans* en payer le prix …

2 Comment dit-on en français …?
  a without Gisèle arriving on time …
  b without accepting the money …
  c We train ceaselessly.
  d a limitless friendship …
  e without saying a lot …
  f without Yannick talking …

7.5 🎧

Claude François – monstre sacré!

Claude François est un chanteur français encore plus adoré que Dalida. Décédé le 11 mars 1978 à l'âge de 39 ans, il tient toujours une place exceptionnelle dans l'histoire du music-hall français. Cette idole des jeunes a été en France un phénomène tout à fait exceptionnel. Sa place reste libre sur le podium.

Ecoutez Jean-Paul qui parle de Claude François. Le résumé suivant contient un nombre de blancs. A vous de les remplir, suivant le sens du texte. Il faut utiliser un mot seulement pour chacun des blancs.

Selon Richard, Claude François était très populaire mais à son avis il ne ____ pas bien. Sur ____, il était accompagné des Clodettes qui ____ autour de lui. Le public était ____ peut-être plutôt par ces filles que par Claude François lui-même. Sa ____ en légende est due au fait qu'il s'est ____ dans sa baignoire. Cette ____ extraordinaire lui a valu le statut d'un semi-dieu. L' ____ portée toujours envers lui remplit un besoin ____ de la nature humaine.

7.6

Claude François – idole de famille

Il existe en France des familles entières qui consacrent leur vie au culte des stars disparus. L'article suivant raconte l'histoire de la famille Thomas qui vénère la mémoire de Claude François.

CLAUDE FRANÇOIS

cette famille lui voue un culte d'amour fou

Cloclo plus vivant que jamais

C'est en 1978 que Claude François s'est éteint! Mais son souvenir, loin de s'estomper, sa gloire, loin de disparaître, sont plus vivants que jamais.

Et à la veille du 11 mars, alors que des milliers et des milliers de fans s'apprêtent à fleurir la tombe de leur idole pour l'anniversaire de sa mort, nous avons rencontré une famille vraiment hors du commun. Une famille qui voue au grand chanteur disparu un culte d'amour fou.

Dominique et Gérard Thomas, ainsi que leurs deux filles, Nathalie et Magali, ont accepté de nous recevoir dans leur appartement de la région parisienne, où tout est voué à la mémoire de Cloclo. Les murs du salon sont tapissés de photos, de posters, d'affichettes de Claude François. La bibliothèque, les rayonnages débordent de disques, de cassettes, de vidéo-cassettes qui font revivre la voix inoubliable de la star.

Voilà pour le décor. Mais, en plus, chaque membre de la famille voue, à sa façon, une admiration sans borne pour Cloclo.

C'est Dominique, bien avant son mariage, qui, la première, est tombée sous le charme de Claude. C'était en 1962, lorsqu'elle découvre à la radio le

premier disque d'un inconnu. Puis, quelque temps après, Dominique a subi une expérience incroyable.

Ce n'était pas un rêve!

«Un jour à l'aéroport d'Orly, je perds l'équilibre en sortant du hall et je bute dans un trottoir. Un homme me rattrape, je lève les yeux, je me dis: «Comme il ressemble à Claude!».

«Il me sourit et, chaleureusement, me fait deux bisous. Sur le moment, je ne trouve plus mes mots, je bredouille, pire encore, je tremble. Il me fait un petit signe de la main et monte dans sa limousine américaine qui l'attendait. Il me faudra des heures pour me persuader que ce n'était pas un rêve!»

Telle mère, telles filles

Inutile de dire que la fougue de Dominique n'a fait que croître et embellir pour Claude François. Au point d'avoir fait de ses deux filles de nouvelles idoles de Cloclo.

«Magali, ma cadette, précise Dominique, est devenue plus folle de Claude que moi. Elle connaît par coeur ses 229 chansons. Elle possède tous les disques laser. Elle s'entraîne chaque jour afin de pouvoir danser comme lui.»

Nathalie, l'aînée, n'est pas en reste. Timide, réservée, discrète, elle s'est contentée en notre présence de fredonner les mélodies de Claude François. Mais quand son père a placé sur le tourne-disques «Le téléphone pleure», elle n'a pas pu s'empêcher de verser des larmes. Puis elle s'est éclipsée pour aller jouer cet air sur le piano de sa chambre.

Et Gérard, le mari de Dominique? Lui aussi vénère Claude François. La preuve: pour la demander en mariage, il lui a offert le plus beau des cadeaux: une chemise rose en soie que Claude avait portée.

«Plusieurs fois par an, nous allons prier sur sa tombe. Et bien sûr, chaque année, pour le jour anniversaire, nous sommes présents. Nous ne pourrons jamais l'oublier. Pour nous c'est «Cloclo for ever.»

A Les locutions suivantes se trouvent dans la première partie de l'article. A vous de les recopier, en remplaçant les mots soulignés par d'autres qui ont le même sens.

1 Claude François <u>s'est éteint</u>.
2 Ses fans s'apprêtent à <u>fleurir</u> la tombe.
3 une famille vraiment <u>hors du commun</u> …
4 Les rayonnages <u>débordent</u> de disques.
5 une admiration <u>sans borne</u> pour Claude
6 Dominique … <u>est tombée sous le charme de</u> Claude.

B La deuxième partie de l'article décrit ce qui s'est passé le jour où Dominique a rencontré son idole. Recopiez le texte «Ce n'était pas un rêve!» à la troisième personne en utilisant le temps approprié.

C En vous référant à la troisième partie de l'article, rendez en français le texte suivant.

The whole Thomas family worships Claude François. When Gérard Thomas proposed to Dominique, he gave her as a present a shirt which the singer had worn. Their younger daughter, Magali, has learnt by heart the words of all Claude's songs. Nathalie, Magali's elder sister, is not to be outdone, and she hums the tunes of her dead idol all the time. Each year, on the anniversary of Claude François' death, they all go to pray at his graveside. They say that they will never forget him.

D Relisez le texte entier sur la famille Thomas, et aussi l'article sur Robert Duvernier (voyez 7.4). Quels sont les points de ressemblance entre la vie des Thomas et celle de Robert? Notez autant de points que vous pouvez.

CONSOLIDATION

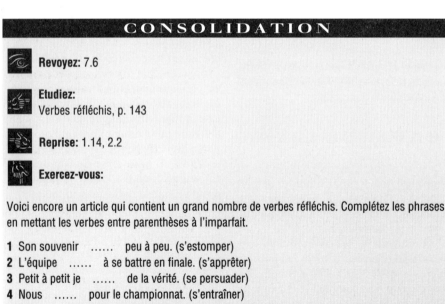

Revoyez: 7.6

Etudiez:
Verbes réfléchis, p. 143

Reprise: 1.14, 2.2

Exercez-vous:

Voici encore un article qui contient un grand nombre de verbes réfléchis. Complétez les phrases en mettant les verbes entre parenthèses à l'imparfait.

1 Son souvenir ...... peu à peu. (s'estomper)
2 L'équipe ...... à se battre en finale. (s'apprêter)
3 Petit à petit je ...... de la vérité. (se persuader)
4 Nous ...... pour le championnat. (s'entraîner)
5 Tu ...... de fréquenter Paul. (se contenter)
6 À la rigueur je ...... de l'observer le soir. (s'empêcher)
7 Chaque nuit elle ...... comme un rêve! (s'éclipser)

7.7

La légende de Brassens

Il est vrai que Claude François a connu une gloire exceptionnelle. Mais il est loin d'être le seul chanteur disparu dont la renommée est toujours présente chez les Français. Georges Brassens, dont la carrière a duré une trentaine d'années, est un des monuments de la chanson française.

Beaucoup de gens affirment: «Brassens, c'est toujours la même chose, c'est monotone …» <u>*Auriez-vous aimé être accompagné*</u> *par un orchestre, vous passer de votre guitare sur scène, et chanter les mains dans les poches?*

Les mains dans les poches, non! Mais les mains le long du corps, ça oui, je pourrais chanter. Ça doit défatiguer, plus que cette attitude figée. J'ai maigri, mais à l'époque où je faisais cent kilos, pendant deux heures, sur une patte … La guitare, ça permet d'occuper les mains. Mais c'est vrai, <u>ça ne m'aurait pas déplu</u> d'avoir une petite formation derrière moi. Quatre ou cinq musiciens, avec une autre guitare pour les trucs que je ne sais pas faire, une batterie, et peut-être un accordéon un peu léger, qui <u>aurait convenu à</u> mon genre de chansons. J'y ai pensé, à mes débuts. Moi qui aime par-dessus tout la musique, qui préfère finalement la musique au texte … Et puis j'ai dit non. Un orchestre <u>aurait sans doute enlevé</u> à mes chansons une certaine présence vocale, je n'ai pas une très belle voix mais elle existe quand même, et une force de conviction. <u>Ça aurait détourné l'attention du</u> public vers la musique, alors que je tiens, au contraire, à ce qu'elle soit là pour soutenir le texte, le rythmer, le scander, et non pour l'écraser!»

A Lisez l'extrait d'une interview où Georges Brassens parle de sa musique (à la page 90). Puis notez «vrai» ou «faux» aux questions suivantes (ne faites pas attention aux soulignements).

1 Pour Brassens une guitare serait indispensable.
2 Sans sa guitare il se sentirait moins fatigué.
3 Autrefois, quand il pesait très lourd, il trouvait pénible de rester longtemps debout.
4 Il ne ressent pas le besoin d'autres instruments.
5 Ce qui compte surtout pour Brassens, ce sont les paroles.
6 Brassens reconnaît que sa voix n'est pas belle et il préfère chanter sans trop d'accompagnement.
7 La musique, selon lui, ne devrait pas être trop présente.

CONSOLIDATION

 Revoyez: 7.7

Etudiez:
Le Conditionnel passé, p. 147

Exercez-vous:

Utilisez les verbes soulignés dans les deux parties de l'article pour rendre en français:

1 I should have liked to be accompanied by her.
2 That would have displeased us.
3 That would not have agreed with my opinion.
4 You (tu) would have removed the song's natural sound.
5 I should have distracted her attention.
6 Would you (tu) have liked to take part?
7 I should have liked that (=That would have pleased me).

B Lisez un autre passage de l'interview où Brassens parle de sa musique.

«JE PRÉFÈRE LES SARDINES EN BOÎTE»

Il y a quand même, pour vous, de bonnes et de mauvaises chansons?
Une chanson est «bonne», entre guillemets, quand elle convient au goût du public. Il y a des gens qui aiment le caviar et d'autres, c'est mon cas, qui préfèrent les sardines en boîte. De même, il y a des gens qui aiment Brassens, et puis il y en a qui aiment Sheila ou Claude François. Ça peut éventuellement être les mêmes. Pourquoi est-ce que j'aime Tino Rossi[1]? Pourquoi est-ce je peux vous chanter certaines chansons de Claude François? Vous ne pensez pas que j'ai appris ça pour vous épater? J'aurais pu vous épater aussi en vous récitant une scène de Ruy Blas. Non. C'est simplement parce que <u>ça me plaît</u>. Alors si la qualité du texte paraît plus discutable que celle de Mallarmé[2] ou de Valéry[3], je m'en fous. C'est la musique qui me plaît. Et la façon qu'avait Claude François de la chanter me convenait.

[1] chanteur célèbre
[2] et [3] poètes français

Trouvez dans ce passage les phrases qui expriment les idées suivantes:

1 L'interprétation de cette chanson par Claude François me plaît.
2 C'est au public de décider le mérite d'une chanson.
3 Je n'ai pas de goûts raffinés.
4 Les paroles d'une chanson ne vont pas être nécessairement de la poésie classique.
5 Il est possible d'aimer toute une gamme de chanteurs dont le style diffère l'un de l'autre.

C Comment Brassens dit-il?

1 in inverted commas
2 appeals
3 likewise
4 possibly
5 to impress, astonish
6 I don't care

«*Le Parapluie*»

Le répertoire de Brassens est vaste, et sa musique, malgré ce que disent certains, est loin d'être monotone. Parmi les nombreux thèmes que l'on trouve chez lui est celui de l'amour naissant. Dans «Le parapluie» il s'agit de la première rencontre entre un garçon et une fille.

A Avant d'écouter cette chanson, essayez de rejoindre correctement les deux moitiés de chaque vers de la première strophe.

1 Il pleuvait fort
2 Elle cheminait
3 J'en avais un
4 Le matin même
5 Courant alors
6 Je lui propose
7 En séchant l'eau
8 D'un air très doux

a volé, sans doute
b à sa rescousse
c sans parapluie
d de sa frimousse
e ell'm'a dit «oui»
f sur la grand-route
g un peu d'abri
h à un ami

Ecoutez maintenant l'enregistrement et corrigez vos réponses, s'il le faut.

B

Après le refrain, écoutez la deuxième strophe et remplissez ces blancs.

Chemin ____, que ce fut tendre
D'ouïr ____ le chant joli
Que l'eau du ciel ____
Sur le ____ de mon parapluie!
J' ____, comme au déluge,
Voir ____ tomber la pluie,
Pour ____, sous mon refuge, ____
Quarante ____, quarante nuits.

C

Regardez maintenant la troisième strophe, imprimée ci-dessous et, *sans écouter l'enregistrement*, choisissez parmi les mots donnés ci-dessous celui qui convient le mieux à chaque blanc. Mais attention – vous n'allez pas utiliser tous les mots donnés. Puis écoutez l'enregistrement pour vérifier que vous ayez bien répondu.

Mais bêtement, ... en orage,
Les routes ...... vers des pays:
...... le sien fit un barrage
A l'horizon de ...... folie!
Il a fallu qu'elle me ......
Après m'avoir ...... grand merci
Et je l'ai vue, ... petite,
...... gaiement vers mon oubli.

après, bientôt, dans, dire, dit, ma, marchait, même, parle, partir, quitte, sa, sortir, tout, toute, vont.

D

En écoutant «Le Parapluie» vous avez sans doute remarqué les verbes suivants; à vous de trouver pour chacun le nom équivalent.

verbe	nom
1 pleuvoir	
2 cheminer	
3 voler	
4 courir	
5 proposer	
6 voir	
7 vouloir	
8 partir	

E *Travail à deux*

Personne A: Vous êtes le garçon ou la fille qui figure dans la chanson. Racontez à un(e) ami(e) ce qui s'est passé ce jour-là et comment cela vous a affecté(e).
Personne B: Posez autant de questions que possible sur cet incident, en utilisant plusieurs formes interrogatives.

7.9

Et vous?

Et vous, le culte des chanteurs disparus, ça vous dit quelque chose?

A *A discuter et à décider*

Avec votre partenaire ou en groupes de trois ou quatre, considérez le culte voué par la famille Thomas à Claude François, et aussi celui de Robert Duvernier à Dalida. Peut-être trouvez-vous ces fans tristes? enfantins? amusants? sincères? Exprimez et justifiez votre opinion, et découvrez celle de votre partenaire/des membres du groupe. Etes-vous d'accord?

B

Et vous, quel(s) chanteur(s) aimez-vous? Pourquoi? Est-ce qu'il(s) va/vont durer ou non, à votre avis? Défendez le mérite de votre idole, en jouant le jeu de montgolfière. Référez-vous aux règles données ci-dessous.

1 CHAQUE MEMBER DU GROUPE NOMME SON/SA CHANTEUR / CHANTEUSE PRÉFÉRÉ (E) (IL NE SE PERMET PAS QUE PLUS D'UNE PERSONNE CHOISISSE LA MÊME STAR).
2. SITUATION: LES CHANTEURS ET LES CHANTEUSES SE TROUVENT DANS UNE MONTGOLFIÈRE. LA MONTGOLFIÈRE PERD DE L'ALTITUDE ET VA TOMBER – IL FAUT JETER TOUS LES PASSAGERS, SAUF UN (E).
3. CHAQUE MEMBRE DU GROUPE CHERCHE À JUSTIFIER LA PRÉSENCE DANS LA MONTGOLFIÈRE DE SON/SA CHANTEUR / CHANTEUSE PRÉFÉRÉ (E), EN PARLANT PENDANT 2-3 MINUTES, PUIS EN RÉPONDANT AUX QUESTIONS DES AUTRES MEMBRES DU GROUPE.
4. APRÈS, LE GROUPE DOIT SE METTRE D'ACCORD SUR CELUI /CELLE QUI AURA LE DROIT DE RESTER DANS LA MONTGOLFIÈRE.

C

Faites en 200 mots le portrait critique de votre chanteur/chanteuse préféré(e). Donnez les raisons pour lesquelles vous l'aimez et dites pourquoi sa mémoire va durer ou non.

Unité 8 Quel Boulot?

Pour aller au cinéma, pour boire un verre avec des copains ou tout simplement pour vous offrir un cadeau, vous avez besoin d'un minimum d'argent bien à vous. Si certains d'entre vous – pas forcément les plus chanceux, car l'argent facile peut vite devenir une mauvaise habitude – croulent sous des sommes parfois trop importantes, la majorité se plaint de ne pas en avoir assez …

8.1

C'est combien, ton argent de poche?

Ecoutez cette émission où on parle de l'argent de poche.

A A votre avis, cette émission vise des jeunes de quel âge, environ? Quelles indications trouvez-vous dans l'émission pour soutenir votre opinion? Notez vos réponses, puis comparez-les avec celles des autres membres du groupe.

B Ecoutez encore une fois la première partie de l'émission. Remplissez les blancs avec des chiffres que vous avez entendus dans l'émission.

1 …% des enfants ont le droit de dépenser leur argent à leur guise.
2 …% sont encouragés par leurs parents à ne pas tout dépenser d'un seul coup.
3 …F, c'est l'allocation mensuelle d'argent de poche.
4 …% n'allouent rien à leurs rejetons.
5 …% des ados français reçoivent en moyenne 141F comme argent de poche.

C Maintenant écoutez la deuxième partie. Comment dit-on …?

1 from the start
2 You must come to an agreement with your parents.
3 It's not something that is yours by right.
4 whether it is a small sum or a larger amount …
5 constantly hard up

D Dans la dernière partie de l'émission, on donne certains conseils. Ecoutez cette partie encore une fois et notez si le conseil imprimé ci-dessous y apparaît ou non.

	Oui	Non
1 comptez votre argent chaque jour		
2 il ne faut rien omettre		
3 ce système vous aidera à vous faire apprécier		
4 après quelque temps vous penserez à faire des achats plus importants.		
5 ce système aura un effet plutôt bénéfique.		

CONSOLIDATION

Revoyez: 8.1

Etudiez:
Le Subjonctif, p. 147
Il faut+l'Infinitif, p. 149

Reprise: 3.3, 7.4

Exercez-vous:

Lisez les transcriptions de l'émission que votre prof va vous fournir. Notez les exemples de l'emploi du subjonctif y soulignés. Rappelez-vous aussi comment on utilise très souvent une construction à l'infinitif avec *il faut* au lieu du subjonctif.

1 Avec chaque phrase ci-dessous mettez dans le blanc la forme correcte du verbe entre parenthèses:

  a Pour que la chose …… bien claire (être)

  b Il est impératif que tu la …… au point (mettre)

  c Pour que les mesures …… efficaces (être)

  d Il faut que nous nous y …… (présenter)

2 Et maintenant … Comment dit-on en français, en utilisant un subjonctif …?

  a In order to manage our budget …

  b It's imperative that you (vous) avoid having no money.

  c We must put it down in a note-book.

  d In order that you are available during the day …

  e It's essential that I succeed with this course.

Il est possible de formuler toutes les phrases que vous venez d'écrire sans utiliser le subjonctif – essayez-le!

8.2

La lettre de Corinne

dimanche 8 mars,

Ma chère Sylvie,

Dans la majorité des grandes villes, les étudiants peuvent trouver des petits boulots relativement facilement.

En général des annonces paraissent dans les journaux (surtout ceux distribués gratuitement). Les entreprises peuvent aussi s'adresser directement aux Fac, aux écoles, où les associations transmettent les offres aux étudiants. Le bouche à oreille est aussi une bonne source d'information!

En ce qui me concerne, j'ai fait des petits boulots variés. Par exemple, j'ai été «équipière» chez France-Quick. J'avais simplement vu une annonce affichée à l'entrée du fast-food. Ce genre de travail est épuisant, mal payé (Smic horaire) mais offre l'avantage des horaires modulables.

J'ai aussi été hôtesse pour le lancement de Nescafé frappé durant une soirée. Nous étions 4 étudiantes derrière un stand, et nous devions faire et offrir des Nescafés frappés aux invités de 22 h à 4 h du matin. C'est le genre de petit boulot que l'on peut trouver en s'inscrivant dans des agences d'hôtesses ou dans des agences d'événementielle. Les agences font en général appel à des étudiants mais de façon ponctuelle. Cela concerne aussi bien les filles (hôtesses, démonstratrices …) que les garçons (chauffeurs, démonstrateurs, agents de sécurité etc ….) La rémunération est souvent élevée et peut atteindre 500 à 600 F la soirée. L'inconvénient majeur est qu'il faut parfois se libérer plusieurs jours de suite (par exemple pour les salons - salon de l'étudiant, du prêt à porter, de l'agriculture ... qui se déroulent sur plusieurs jours). De plus ce n'est pas un revenu fixe.

Une autre solution est de faire du marketing téléphonique - enquêtes, sondages par téléphone - l'avantage réside dans les horaires (après les cours vers 18 h 30 - 19 heures) car il faut attendre que les particuliers aient rejoint leur domicile pour les joindre. La rémunération peut être horaire ou fonction du nombre de personnes questionnées. Dans les deux cas, c'est honnête, sans plus.

Il ne faut pas oublier le baby-sitting et les cours (de maths surtout !) qui peuvent garantir un minimum d'argent de poche. Si un étudiant désire réellement s'assurer un petit revenu, il trouvera un petit boulot plus ou moins agréable, plus ou moins bien payé mais il pourra travailler sans problème.

P.S: Une agence d'événementielle: les entreprises font souvent appel à elle pour organiser un événement (publicitaire en général) comme le lancement d'un nouveau produit, la participation à un salon, l'organisation d'une soirée, d'un gala. De ce fait, les agences font appel à des étudiants (censés être jeunes, dynamiques ...) qui pourront aussi bien monter le stand, aller chercher les invités en voiture, accueillir, indiquer le chemin, etc ...

Une bonne idée mais il faut donner satisfaction sinon on ne fera plus jamais appel à vous!

Rebises.

Corinne

		Nombre de points
1	Comment les entreprises attirent les candidats:	*5*
2	Description des petits boulots de Corinne:	*8*
3	Boulots typiques pour filles dans les agences d'événementielle:	*2*
4	Boulots typiques pour les garçons	*3*

B Faites la liste de tous les boulots mentionnés, leurs avantages et leurs inconvénients:

Genre de travail	*Avantages*	*Inconvénients*

C Expliquez, par écrit, dans vos propres termes, ce qu'est une agence d'événementielle.

D *Travail à deux*

Personne A: Vous cherchez, sans enthousiasme, un petit boulot. L'employé de l'ANPE* vous propose plusieurs boulots, mais vous soulignez les inconvénients de chaque poste mentionné.

Personne B: Vous travaillez dans l'ANPE*. Offrez à votre client toutes sortes de suggestions pour un petit job, en citant les avantages de chaque poste. Soyez enthousiaste (=insistez sur le côté positif, en prônant les avantages).

Personne A: Laissez-vous enfin persuader des mérites d'un des boulots.

*ANPE=Agence Nationale pour l'Emploi.

A Lisez la lettre de Corinne, puis remplissez la grille, en y mettant tous les détails nécessaires concernant les petits boulots. Vous devez trouver le nombre de points indiqué.

Smic *salaire minimum interprofessionnel de croissance*

8.3

Vous avez besoin d'argent?

Des petits jobs pour l'été

Travailler une partie de l'été pour pouvoir ensuite en profiter: bon plan! Mais, ne commencez pas vos recherches trop tard. *Salut!* vous donne quelques pistes à suivre dès maintenant. Bonne chasse et bonne chance!

Les travaux de cueillette:
De l'air pur, le charme de la campagne, idéal pour se changer les idées, mais la cueillette est aussi une activité prenante et fatigante.

La distribution:
L'été multiplie les remplacements de caissières, de manutentionnaires ... Il faut postuler par écrit au siège social du magasin ou de la grande surface. Envoyez un C.V. et surtout vos dates de disponibilité. Pour les emplois dans le petit commerce, deux solutions: soit vous vous présentez directement au culot, soit vous repérez votre lieu de vacances et écrivez à tous les commerces intéressants de l'endroit.

Emploi saisonnier par excellence, la vente sur les plages (beignets, glaces, boissons fraîches, vêtements ...) offre de nombreuses opportunités ... à saisir sur place, même tardivement.

L'hôtellerie:
Dépêchez-vous, sinon vous allez vous faire griller les bonnes places par les élèves des écoles hôtelières! Pour trouver un poste, un truc: ratissez les offices de tourisme et les syndicats d'initiative. Vous aurez en un seul coup d'oeil toutes les adresses. Prospectez dès maintenant en envoyant un C.V. avec une photo d'identité couleur (très clean, où vous souriez, c'est important). Si vous parlez une langue étrangère, en tout cas, si vous vous débrouillez en anglais, dites-le. Les chances d'une embauche seront multipliées par deux. On vous offrira des boulots de réceptionniste, personnel d'étage, voire bagagiste si vous êtes un garçon plutôt musclé. C'est un bon job; les pourboires doublent le salaire ... Contactez aussi la revue « L'Hôtellerie » (Tel. 46.40.08.08). C'est un véritable catalogue de petites annonces.

La restauration:
Dans les restaurants traditionnels, pas évident de trouver une place. Ils sont réservés au plus de 18 ans, ou aux élèves des écoles spécialisées. Cependant, il y a toujours au coup par coup, des boulots à la plonge ou au service. Dans les fast-foods, c'est beaucoup plus facile. Eté comme hiver, en ville ou au bord de la mer, ces établissements ont toujours besoin de monde.

L'administration:
Dans la majorité des cas, ne vous faites pas trop d'illusions, les emplois sont réservés à ceux qui ont des parents ou de la famille dans les entreprises. En plus, pour travailler à la Sécurité Sociale ou à l'EDF-GDF, il faut avoir plus de 18 ans. Vous aurez plus de chances aux PTT en vous présentant directement dans les bureaux qui vous intéressent.

Les auberges de jeunesse:
Les places sont rares mais intéressantes. Vous êtes en contact avec des jeunes, sur leurs lieux de vacances et vous êtes logés et nourris. Bien évidemment, tout le monde veut y aller! Pour poser votre candidature, écrire à: «Ligue Française des auberges de jeunesse» 38, boulevard Raspail, 75007 Paris.

Les villages de vacances:
Vous écrivez directement à «Villages Vacances Famille» 32, avenue du Maine, 75755 Paris Cedex 15. Ils recrutent pour d'assez longues périodes (généralement deux mois); mais offrent des postes variés (restauration, sports, entretien).

Sur les plages:
Du plagiste au réceptionniste du syndicat d'initiative, les mairies du bord de mer proposent plein d'emplois à mi-temps. Ecrivez-leur directement en précisant les dates où vous êtes disponibles.

A Lisez les renseignements donnés dans cet article pour vous aider à choisir un petit job pour l'été.
Dans quel job peut-on ...?

1 trouver un poste d'assez longue durée
2 se faire embaucher si on est pistonné(e)
3 travailler en plein air
4 avoir du mal à trouver un petit emploi si on est mineur
5 réussir à trouver un emploi même si on n'écrit pas à l'avance
6 partager son temps entre le travail et les distractions
7 travailler sans frais d'hébergement
8 travailler dans le commerce
9 utiliser ce qu'on a appris à l'école
10 trouver un emploi n'importe où et en toute saison

B Les locutions suivantes se trouvent dans l'article. A vous de les écrire autrement, en suivant les indices et en gardant leur sens entier.
Par exemple:
Il faut postuler par écrit: *s'adresser en écrivant une lettre.*

1 Vos dates de disponibilité:
Quand vous ....
2 Les chances d'une embauche seront multipliées:
Vous aurez ...... embauché(e).
3 Vous êtes logés et nourris:
On vous donne ....
4 A saisir sur place, même tardivement:
Que vous pourrez ......, même si ...... tard.

C *Travail à deux*

Relisez le texte pendant quelques minutes, puis en travaillant à deux, prenez chacun(e) un des rôles suivants.

Personne A: Vous voulez trouver un petit boulot d'été en France. Au téléphone, vous discutez les possibilités avec votre correspondant(e) français(e). Dites-lui le genre de travail qui vous intéresse, les dates où vous serez disponible, vos aptitudes etc.

Personne B: Sans plus consulter le texte, demandez à la personne A quel genre de travail l'intéresse, les dates, ses aptitudes, en lui donnant autant de détails que possible, et votre opinion sur l'emploi dont il s'agit.

D Rendez en anglais le paragraphe intitulé «L'administration».

8.4

Un petit job pour les grandes vacances

Ecoutez Jean-François Stienne qui parle d'un petit boulot qu'il a décroché pendant sa jeunesse.

A Prenez des notes en français sous les rubriques suivantes.

1 âge
2 quand il a travaillé
3 lieu de travail
4 avantages de cet emploi
5 moyen de transport utilisé pour y arriver
6 durée du parcours
7 inconvénient de cet emploi
8 opinion sur le salaire à cette époque-là
9 opinion actuelle
10 motivation pour gagner de l'argent

B Jean-François a donné plein de renseignements en parlant de son boulot. Il a dû répondre à beaucoup de questions – mais auxquelles? Ecoutez encore ce qu'il dit et notez autant de questions que possible qui portent sur ce qu'il dit.

Par exemple: Quel âge aviez-vous quand vous avez fait ce job?

8.5

Petits Jobs: En Piste!

Vous faites un long séjour en France. Vous avez des amis qui ont l'intention de trouver un petit boulot. Pour chaque ami(e) nous vous avons donné un mini-profil de son caractère et de ses aptitudes.

Trouvez dans l'article le secteur de travail que vous considérez approprié à chaque ami(e) et écrivez deux ou trois phrases pour expliquer votre choix dans chaque cas.

NADIA se montre fiable avec un caractère assez souriant mais quand même un tout petit peu renfermé, c'est-à-dire qu'elle aime bien travailler avec les autres gens, mais ne parle pas beaucoup. Elle a déjà travaillé dans une petite usine où elle emballait les pièces de rechange.

ERIC va quitter l'école sans certificats et il cherche maintenant un emploi entre 18h–24h. Il n'a pas d'aptitudes spéciales, mais il est propre et poli, a beaucoup d'énergie et il est toujours à l'heure.

MARIANNE, qui est Marseillaise, voudrait travailler 3–5 heures par jour. Elle n'a pas de qualifications particulières, mais elle aime l'air frais et voudrait se procurer un emploi en plein air, qui lui fournirait l'occasion de s'occuper de son petit bébé.

KAREN jouit d'un caractère très ouvert. Elle aime bien les gens et parle facilement et avec courtoisie. Il y a quelques années elle a reçu une formation de standardiste, ayant travaillé dans la réception d'une entreprise de haut standing.

MARCEL a toujours eu un certain talent pour la vente, pour le commerce. Sachant parler facilement avec les gens, peut-être trop facilement, il sait comment les encourager à dépenser leur argent aux fêtes d'école, etc. Il s'intéresse aussi aux antiquités et à la brocanterie.

Parmi tous les amis, c'est **ALICE** qui parle le plus facilement, créant presque toujours l'impression que la personne à laquelle elle adresse la parole est le personnage le plus intéressant qu'elle ait jamais rencontré. Par-dessus le marché, sa voix détient un caractère des plus persuasifs. Alice a aussi une certaine persistance.

FERNAND n'aime pas travailler à l'intérieur. Jusqu'ici il a eu quelques petits emplois, travaillant pour la municipalité dans les jardins publics, etc. Etant quelque peu claustrophobe, il ne tolère pas facilement les bureaux, les petites boutiques, etc., mais il aime parler avec les gens, a beaucoup d'énergie, est même un peu survolté et il est en très bonne forme.

Petits Jobs:
En Piste!

Un boulot, le meilleur moyen d'être indépendant et de satisfaire ses petites folies! Si, généralement, pour mettre le maximum de chances de son côté, il faut chercher en début d'année scolaire, pas de panique! il y a encore quelques pistes. *Salut!* vous donne quelques bons plans pour arrondir vos mois ...

• Les CRIJ (Centre Régional d'Information Jeunesse)
Qu'ils soient locaux, départementaux ou régionaux, ces centres affichent tous les jours toutes sortes d'emplois, en particulier administratifs. Toutes les annonces sont contrôlées: pas de danger de se faire exploiter. Adresse nationale: 101, quai de Branly, Paris XV, tél. 45 67 35 85, Minitel 36 15 CIDJ. Quatre contacts en région parisienne: Cergy Pontoise (tél. 30 32 66 99), Versailles (tél. 39 50 22 52), Evry (tél. 60 78 27 27) et Melun (tél. 64 39 60 70). Pour connaître les 50 adresses en France, écrire: 101, quai Branly, 75740 Paris Cedex 15.

• Les agences d'intérim
Elles pullulent. Elles n'offrent pas forcément les jobs les plus amusants (caissières, vendeuses ...) mais il y a toujours des propositions pour des emplois non qualifiés. Choisissez une petite agence, moins exigeante sur votre profil.

• Les petites annonces
Ne ratez pas celles qui sont publiées dans la presse régionale. Une idée: l'affichette sur la caisse de votre boulanger ou de votre boucher. «Vendez» vos qualités et votre disponibilité. Vous n'avez pas idée de l'impact de ce système!

• Les boutiques à job
Des sociétés se sont faites les spécialistes des petits jobs. Elles centralisent les offres et vous dispatchent selon vos disponibilités. Un seul regret. La province est plutôt mal lotie ... on vous proposera surtout du baby-sitting, des gardes de nuit, de l'animation, voire du ménage ...
LUDERIC Paris: 45 53 93 93 – Bordeaux: 56 44 73 03 – ABABA: 45 49 46 46 – KID SERVICES: 47 66 00 52 – CONNEXION SERVICE: 42 93 68 08 – HOME SERVICE: 45 00 82 51 – ARLEQUIN (Lille): 20 78 08 45 – OSE (Lyon): 78 69 51 24. Original, la société GAG A GOGO, tél. 48 25 77 88, propose des jobs classiques mais aussi de la figuration ou de l'accueil dans des soirées costumées.

• La distribution
(Magasins à succursales, multiples, type MONOPRIX, grandes surfaces, grands magasins): Demandez à rencontrer directement le chef du personnel, avec votre C.V., une petite lettre de motivation et une photo. De la manutention à l'hôtesse, les jobs sont nombreux.

• Les fast-food
Une seule obligation, être disponible trois à quatre heures d'affilée dans une journée. Que ce soit chez Mac Donald ou Burger King, présentez-vous dans la boutique la plus proche. La rotation d'emploi est telle qu'il y a presque toujours de la place. Attention, le boulot est fatigant et les retards sont très mal vus.

• La distribution de prospectus
Beaucoup de places. Une société recrute pour ce type d'activité: EAF: Paris, tél. 45 33 81 81 – Bordeaux, tél 56 44 93 61 – Grenoble, tél 76 46 79 93 – Lille, tél. 20 52 89 70 – Lyon, tél. 78 03 18 36 – Marseille, tél. 91 79 37 10 – Nantes, tél. 40 76 07 64 – Toulouse, tél. 61 48 00 65.

• L'hôtellerie
Une revue à contacter «L'hôtellerie» (tél. 46 40 08 08) qui est une mine de petites annonces.

• Le commerce
Il vous faut du courage mais il y a toujours de la demande. Essayez alors marchés, foires, brocantes, puces. Si vous vous présentez de bonne heure, vous ne resterez pas les bras croisés!

• Le marketing téléphonique
Tout le monde adore téléphoner. Si, en plus, cela peut rapporter! A cette adresse, SMT (Syndicat National du Marketing Téléphonique) 60 rue de la Boétie, Paris 75008, tél. 42 56 38 36, on vous donnera les coordonnées des 60 sociétés spécialisées et le nom de celles qui ont besoin de monde.

• La vente ambulante
Vous avez du bagout, et le sens du commerce. Creusez cette idée: pourquoi ne pas essayer la vente ambulante. Il suffit de s'inscrire au Registre du Commerce (moyennant 700F) et de demander une carte permettant l'exercice des activités non sédentaires à la préféture. Seule réserve, vous paierez des impôts. FNSCNS: 14 rue de Bretagne, Paris 75003, tél. 48 87 51 45.
F.P.P.L.

Votre salaire de base sera selon la loi:
• le SMIC – 20% si vous avez moins de 17 ans.
• le SMIC – 10% si vous avez entre 17 et 18 ans.
Depuis le 1er juillet 1990, la base est de: 31 F 28 de l'heure.

CONSOLIDATION

👁 **Revoyez:** 8.5

✋ **Etudiez:**
Le Subjonctif, p. 147; Constructions avec l'Infinitif, p. 149

✋ **Reprise:** 8.1

✍ **Exercez-vous!**

Changez chacun des ordres suivants tirés du texte en une phrase commençant par (a) il vous faut ...; (b) il faut que vous .... Un exemple est déjà fait pour vous aider.

Phrase originale: Posez vos questions
Il vous faut ... poser vos questions
Il faut que vous ... posiez vos questions

1 Apportez-nous votre témoignage.
2 Choisissez une petite agence.
3 Ne ratez pas celles dans la presse régionale.
4 «Vendez» vos qualités.
5 Demandez à rencontrer directement le chef.
6 Présentez-vous dans la boutique.
7 Essayez marchés, foires, brocantes.
8 Creusez cette idée.

8.6

Si vous cherchez un emploi ...

A lire absolument si vous cherchez un emploi ou un petit boulot d'été

Tous les conseils d'un spécialiste en «gestique»

Bien sûr, pour décrocher un emploi, il y a les diplômes, l'expérience professionnelle, la manière de s'habiller qui entrent en compte. Mais, il y a aussi les gestes. Vos mains, vos yeux, peuvent vous faire perdre le poste dont vous rêvez. Alors, si vous cherchez un emploi ou tout simplement un «job» pour l'été, lisez attentivement cette page.

Les bras croisés

Croiser les bras n'est signe de bonne conduite qu'à l'école. Lors d'un entretien, cela indique une tendance à la défensive, une position de retrait, voire de repli sur soi. C'est l'attitude-type de la méfiance et de la vulnérabilité. C'est encore pire si vous croisez les bras en étant debout. Mieux vaut alors, si vous ne savez que faire de vos mains les mettre dans vos poches!

La main près de la bouche

La main près de la bouche, voire le doigt effleurant les lèvres dénote une trop grande «distance». De toute évidence, nous ne sommes pas tellement convaincus de ce que nous disons.
Comment espérer, alors, convaincre celui qui est en face?

Se cacher les mains

Le simple fait de dissimuler inconsciemment ses mains en en glissant par exemple une entre ses jambes croisées indique la vulnérabilité et l'agressivité rentrée.

Mains croisées, paumes vers le haut

On tient parfois ses mains jointes, posées sur ses genoux, paumes vers le haut. On croit alors se donner une contenance respectueuse. Erreur. Cette fois encore, c'est signe de repliement et de vulnérabilité.

Mordiller ses branches de lunettes

Cette manie qu'on voit d'ailleurs souvent faire à la télévision par des personnages importants dénote une grande nervosité bien contrôlée. Mais, c'est surtout le geste symbolique d'une grande agressivité. On mordille ses lunettes (ou son crayon), pour ne pas «mordre», au propre comme au figuré, son vis-à-vis.

FACE A VOTRE FUTUR PATRON
voici les 10 gestes à ne pas faire

Mains croisées et ouvertes vers le haut (A): cette jeune femme n'a pas confiance en elle. Jouer avec ses ongles (B)? Tout comme quand on les porte à sa bouche, c'est signe que l'on se sent coupable de quelque chose. Main cachée sous soi ou entre ses jambes (C): voici quelqu'un de vulnérable et d'agressif. N'allez pas mordiller vos lunettes (D)! Votre interlocuteur aura l'impression que vous voulez le mordre. Et, surtout, ne portez pas votre main à votre bouche (E). On risquerait de penser que vous ne croyez pas un mot de ce que vous dites, et vous auriez du mal à convaincre votre interlocuteur! ...

Se reculer dans son fauteuil

Soudain, au moment de répondre à une question posée, on se recule au fond de son siège. L'effet produit est catastrophique quand ce geste vient à l'appui d'une réponse se voulant positive. D'un seul coup, on ne vous croit plus.

Se tenir trop près de l'interlocuteur

En se penchant par-dessus la table, on croit être plus persuasif. En fait, on envahit dangereusement le territoire de l'autre.

Il se méfiera alors.

Fixer trop longtemps son interlocuteur dans les yeux

Regarder bien en face est signe de droiture. Mais le faire trop longtemps devient gênant. Sachez de temps en temps «relâcher» votre regard, en posant vos yeux ailleurs pendant quelques secondes afin de laisser à votre interlocuteur l'occasion d'en faire autant.

Les ongles à la bouche

Sans parler d'ongles rongés, le simple fait de porter un ongle à la bouche indique qu'on a inconsciemment quelque chose à se reprocher.

On traîne avec soi un sentiment de culpabilité. Comme disent les psychologues comportementalistes: «La bouche punit la main d'avoir fait des choses répréhensibles.»

Se caresser le crâne

A moins qu'il ne s'agisse de remettre en place une mèche de cheveux rebelle, ce geste trahit une sorte d'attendrissement sur soi. C'est signe de faiblesse.

...et voici les 5 gestes à faire

«Comment se tenir?» direz-vous. Voici ce qu'il faut faire.

Bras ouverts, mains tendues

C'est typiquement le geste de la force de conviction, en appuyant ainsi vos propos, vous donnez l'impression que vous êtes sûr de vous. C'est «l'harmonie» comportementale

.La main posée sur le coeur

La main posée doucement sur le coeur au moment où l'on donne une réponse témoigne de votre sincérité.

Les mains posées bien à plat

Elles indiquent l'ouverture sur l'extérieur, la confiance en soi, la volonté de communiquer.

Les hochements de tête

Inutile d'interrompre votre interlocuteur sans cesse pour lui montrer que vous l'écoutez. De discrets hochements de tête, voire de mouvements de paupières, suffisent.

L'index légèrement pointé

Tous les enfants s'entendent dire cent fois pas jour que montrer du doigt est une très vilaine impolitesse. Cet index pointé est pourtant bien utile en d'autres circonstances, surtout si vous l'agitez sans brusquerie. Il signifie alors que vous êtes totalement pénétré de ce que vous dites.

Cette fois encore, vos propos et votre gestuelle semblent en accord parfait.

Lisez cet article de *France-Dimanche*, où M. Alexandre Tic, spécialiste en «gestique», et chargé de recruter pour les entreprises des cadres supérieurs, explique comment vos mains et vos yeux peuvent vous perdre le poste dont vous rêvez.

A Regardez toutes les photos qui accompagnent l'article et notez le message communiqué par chaque geste. *Par exemple:* Photo A, «Je suis timide».

B Regardez encore une fois les photos et, à l'aide du texte, inventez ce que dit la dame pendant son entrevue pour chacune des photos. Imaginez qu'elle se trouve devant son futur patron et qu'elle répond à ses questions. Ecrivez vos idées.

C Lisez ce que dit M. Tic sur l'influence des gestes et trouvez comment il dit ...

1 during
2 even
3 it's even worse
4 it's preferable
5 obviously, clearly
6 mannerism
7 occasionally
8 somewhere else
9 so as to
10 the same thing

D

1 Vous prenez des notes sur les gestes qu'il ne faut pas faire, pour les éviter plus tard dans les entrevues. Expliquez avec vos propres mots pourquoi ces gestes-là ne sont pas positifs. *Exemple:* Ne croisez pas les bras ... car cela indique que vous voulez vous renfermer sur vous-même.

2 Il y a pourtant des gestes à faire pour créer une bonne impression. Lisez les conseils de M. Tic et pour chacun des gestes qu'il faut faire, montrez son aspect positif. *Exemple:* Geste – bras ouverts. Cela démontre la force de conviction.

8.7

Mme Godebarge, chargée du recrutement

Ecoutez Mme. Godebarge qui est chargée du recrutement dans une grande entreprise.

A Mme Godebarge donne beaucoup de conseils. Notez ce qu'elle conseille pour bien réussir une entrevue.
Par exemple: vous devez vous habiller correctement.

B Comment dit-elle …?

1 the way he is dressed …
2 You shouldn't take it to the opposite extreme.
3 A boy tends rather not to think about it.
4 Is he listening to what you are saying?
5 It is very difficult to know what they think.

8.8

En avant, les femmes!

Les femmes ne reviendront plus en arrière

Trop tard pour ceux qui rêvent encore de les confiner entre le ménage, la cuisine et les enfants! Les femmes – et c'est l'un des principaux enseignements des années 90 – ne se découragent plus devant le chômage. Hier, elles affluaient quand l'économie fabriquait beaucoup d'emplois puis rentraient chez elles quand ils se faisaient rares. Désormais elles s'accrochent. ... Et elles sont 200 000 de plus que les hommes à l'ANPE.

Curieusement, le phénomène passe quasiment inaperçu. On débat de la formation, des charges sociales en général et l'on néglige les obstacles spécifiques vécus par la majorité des demandeurs d'emplois. En même temps qu'une des évolutions majeures de la société.

Deux femmes sur trois

Aujourd'hui, deux femmes sur trois de 20 à 60 ans ont ou veulent leur salaire et leur indépendance. Gagner leur vie. En 1968, année symbole de la libération sexuelle, elles étaient moins de la moitié.

Quand elles quittent l'école, ne leur demandez plus ce qu'elles choisissent: moins d'une sur vingt se voit au foyer. Les naissances, maîtrisées par la contraception, ne les ramènent plus guère à la maison: 7 mères de deux enfants sur 10 continuent à travailler. Et après un troisième, elles sont encore 46% contre 36% il y a dix ans.

En quinze ans de crise de l'emploi, l'économie française a ainsi donné du travail à 2 millions de femmes supplémentaires. Aidées en l'occurrence par «l'explosion» du tertiaire, le commerce, les services, pendant que l'industrie taillait dans ses troupes majoritairement masculines.

Malgré les acrobaties

Aujourd'hui, alors que les femmes représentent 46% de la population active, l'une des causes du chômage tient sans doute au fait que la France ne parvient pas à rapprocher la double évolution des mentalités et des besoins économiques.

Les mentalités qui font par exemple que Nathalie, à Saint-Brieuc, conçoit sa vie seule avec son enfant quitte à passer par mille galères: l'aspiration du modèle suédois où les femmes, pour des raisons d'autonomie, travaillent autant que les hommes. Les besoins économiques ensuite dont l'aspect le plus notoire est le manque de salariés qualifiés: l'aspiration du modèle japonais, société réputée sexiste, où les femmes tendent à travailler autant que les hommes à cause du manque de main d'oeuvre.

Certes, si les femmes s'accrochent aujourd'hui, malgré les obstacles, les acrobaties, les doubles journées, c'est aussi parce que le mari a perdu ou risque de perdre son emploi. Mais cela ne saurait tout expliquer. Ce sont dans les familles modestes que les femmes restent le plus à la maison: quand le salaire est bas, autant garder les enfants ou coudre chez soi. Au contraire, plus les femmes sont qualifiées, plus elles veulent utiliser leur formation.

20 métiers …

Mais si les entreprises ont bien besoin d'elles, les femmes ont bien du mal à percer dans les métiers masculins. La moitié d'entre elles sont confinées dans 20 métiers sur 455! «**L'équation couture-coiffure-santé-secrétariat**», comme dit «leur» secrétaire d'État, Véronique Neiertz.

Peu de choses sont faites pour lever les blocages psychologiques. Aider à la mobilité. Créer des crèches dans les entreprises. Montrer que les métiers jusqu'ici masculins sont propres, valorisants. Les «routières» et «soudeuses» étonneront encore longtemps …

A Lisez cet article d'*Ouest France*, puis expliquez dans vos propres termes, sans copier mot-à-mot le texte, à quoi correspondent les chiffres suivants.

1 200 000
2 20–60 ans
3 7/10
4 46% (deux fois)

5 36%
6 2 000 000
7 20/455

B *A discuter et à décider*

Autrefois, on croyait que le rôle de la femme, c'était de se marier, de faire des enfants, et de s'occuper de la maison. Dans certains pays, on est toujours du même avis. Savez-vous ce qu'en pensent vos parents/vos grands-parents, ou d'autres gens de leur âge? Renseignez-vous, notez ce que vous découvrez, et parlez-en au groupe.

C A l'aide du texte rendez en français ce mini-article:

Women have stopped being deterred by unemployment. Instead, two thirds of them now place great importance on their own salary and independence, for they simply want to earn their own living. They have been helped considerably over the last fifteen years by the great expansion in service industries and by the fact that their partners are likely to lose their own jobs. The significant thing is, the better qualified women have become, the more they have wanted to use their skills. But, there remain problems, such as the difficulty women have had in gaining entry to traditionally masculine jobs, their lack of mobility, and the scarcity of crèche facilities. There is still a lot to be done!

8.9

Là-bas, pas de problème!

Valérie, 26 ans, ne regrette pas le voyage

Chômeuse ici, salariée outre-Rhin

Valérie, 26 ans, était chômeuse à Rennes. Elle vient de décrocher un emploi de secrétaire en Allemagne. Bonheur tout frais aux couleurs de l'Europe.

«Le chômage longue durée touche beaucoup les jeunes femmes, le secrétariat export a de l'avenir, à cause de l'Europe». Donc, la Chambre régionale de commerce et d'industrie, à Rennes, a envoyé une quinzaine de demandeuses d'emploi en Allemagne. Tout le monde a mis la main au portefeuille, du Conseil général d'Ille-et-Vilaine à la CEE, en passant par la Délégation des droits de la femme.

Finie, la galère

C'est ainsi qu'en juillet, Valérie Turcius, 26 ans, est tombée sur une annonce. Elle galérait depuis deux ans à Rennes. Avait été vendeuse à Angers, stagiaire d'export à Paris, était même allée tenter sa chance aux Etats-Unis. Ses atouts: l'anglais, appris à l'école, et l'allemand, appris au cours de vacances régulières passées avec ses parents en Autriche.

«On s'est retrouvées toutes les quinze là-bas pour trois mois, de septembre à Nöel. Cinq semaines de cours et six semaines en entreprise. Pour certaines, qui avaient laissé mari et enfants, ou qui pratiquaient peu la langue, c'était difficile. Mais l'accueil a été extraordinaire». Valérie a aimé. A voulu travailler là-bas. A envoyé 25 lettres. «**J'ai eu dix entretiens, ce qui est déjà formidable, et j'ai été embauchée. Je serai secrétaire internationale chargée des affaires francophones et de l'Angleterre. C'est merveilleux**».

Valérie n'est pas la seule à avoir trouvé du travail. Une jeune Dinardaise est restée en place, embauchée début janvier. Les autres sont mieux armées pour une France européenne.

De leur côté, les jeunes stagiaires allemandes ne sont pas venues en France pour rien. L'une d'elles travaille à Chateaubriant. «**Elle a de la chance**, dit Ruth, 25 ans, la mimique éloquente. **On est plusieurs à vouloir travailler ici. Moi, j'ai déjà écrit, passé des annonces, et je me suis inscrite en agence intérimaire**». La vie est tellement plus agréable, tellement plus ouverte en France...»

A Trouvez dans le texte le *contraire* des mots ou locutions suivants.

1 perdre
2 employeuses
3 apprentie
4 on s'est séparées
5 renvoyée
6 déveine
7 à court terme
8 maussade
9 points faibles
10 adieu
11 exécrable

B *Travail à deux*

Personne A: Vous travaillez pour une station de radio-jeunesse et vous allez interviewer Valérie/le frère de Valérie sur son succès. Préparez votre côté de l'interview.

Personne B: Vous êtes Valérie/son frère. Préparez également votre côté de l'interview.

Basez, tous les deux, vos questions et réponses sur ce que dit Valérie/son frère et sur ce qu'on dit d'elle dans l'article.

Enregistrez l'interview. Après, échangez votre cassette contre celle d'un(e) autre membre du groupe pour noter en français ses points de vue pertinents. Ensuite vérifiez avec lui/elle si vous avez bien compris et demandez-lui d'expliquer les points où vous avez eu un peu de difficulté. Enfin racontez à toute la classe l'essentiel de l'interview.

CONSOLIDATION

Revoyez: 8.9

Etudiez:
L'article indéfini, p. 134

Exercez-vous:

Notez les phrases suivantes qui se trouvent dans le texte «Chômeuse ici, salariée outre-Rhin»:

> Valerie était chômeuse à Rennes.
> Elle avait été vendeuse à Angers.
> Elle avait été stagiaire … à Paris.
> Je serai secrétaire internationale.

Comment dit-on en français …?

1 Philippe has been unemployed for 14 months.
2 I had been a pilot.
3 You (vous) will be a lawyer.
4 She is a well-known author.
5 He's an intelligent student.
6 He'd been an impolite sales assistant.
7 De Gaulle was a general.
8 Simone Signoret was a French cinema actress.

8.10

Jeunes chômeurs: une bouée de plus

Des aides adaptées à chacun, tel est l'objectif du gouvernement

Jeunes chômeurs: une bouée de plus

Les moins de 25 ans au chômage depuis plus de six mois vont se voir proposer une nouvelle mesure à partir du 1er mars: un contrat de 18 mois qui se veut vraiment adapté au cas de chacun. Une décision annoncée hier soir par le Premier ministre.

Une bouée de plus pour les moins de 25 ans sans travail depuis plus de six mois. Hier soir, au journal d'Antenne 2, le Premier ministre a annoncé le lancement, à partir du 1er mars, d'un «contrat de pré-emploi formation» pour leur mettre le pied à l'étrier.

Rémunérés environ 2000 F par mois, ces jeunes seront pris en charge durant dix-huit mois: ils entreront d'abord pour six mois en formation, partiront trois mois en entreprise, retourneront six mois en formation pour passer enfin trois nouveaux mois en entreprise.

«Aujourd'hui, a expliqué le ministre, **beaucoup de jeunes ne peuvent entrer en apprentissage ou trouver un emploi** parce qu'ils n'ont pas les bases **minimales en calcul, voire en lecture».** Et d'ajouter qu'il existe aujourd'hui des **«méthodes modernes»** qui ne donnent pas l'impression aux jeunes de retrouver cette école qu'ils ont rejetée.

40 000 pour commencer

50 000 à 70 000 jeunes sont concernés par cette mesure qui les fera sortir bien sûr aussitôt des statistiques du chômage. Le gouvernement espère en placer 40000 dès le 1er mars dans des centres de formation, publics ou privés, ayant auparavant répondu à un appel d'offres et dont les stages devront correspondre aux besoins locaux définis sous la tutelle du préfet.

Cette pré-qualification, assure le ministre, devrait permettre de trouver un emploi **«non pas à 100% mais à 90%»** si tout le monde se mobilise, ANPE (Agence Nationale pour l'Emploi) et entreprises en tête.

L'ANPE est interpellée au premier chef. A ces jeunes, elle devra fournir un soutien individualisé. C'est plus que jamais le leitmotiv du gouvernement qu'il veut appliquer à tous les chômeurs de longue durée.

Cette aide au cas par cas doit permettre d'utiliser au mieux tout l'arsenal de mesures existant déjà en faveur des chômeurs: contrats de retour à l'emploi (150 000), contrats emploi-solidarité, actions d'insertion et de formation ou encore l'exo-jeunes qui, en deux mois, a bénéficié à 16 000 jeunes sans qualification.

Tous les ministres concernés par l'emploi et la formation qui ont planché hier après-midi sur le chômage devraient bientôt préciser la lutte que le gouvernement est condamné à engager: dans l'entourage du ministre on indiquait hier que d'autres mesures devraient suivre dès la fin de février.

A Vrai ou faux? Corrigez les erreurs dans les phrases fausses.

Vrai *Faux*

1 Cette nouvelle mesure date d'il y a plus de six mois.
2 La mesure sera une sorte de formation pour l'emploi.
3 Elle se terminera le 1ᵉʳ mars.
4 Pour bénéficier, il faut avoir gagné moins de 2000F par mois.
5 Le «stage» durera un an et demi.
6 En tout les jeunes travailleront 6 mois en entreprise.
7 Il n'existe presque pas d'apprentissages pour les jeunes.
8 Il faut que les jeunes sachent utiliser une calculatrice.
9 Les stagiaires apprendront par des méthodes progressives.
10 Après le 1ᵉʳ mars il ne devrait pas rester plus de 30 000 jeunes à placer.

B *Travail à deux*

Au téléphone:

Personne A: vous avez lu cet article sur cette nouvelle initiative et vous essayez de l'expliquer à votre copain/copine qui est au chômage.

Personne B: Vous vous intéressez à cette nouvelle mesure et vous posez des questions pour en savoir davantage.

C *A vous maintenant!*

Relisez l'avant-dernier paragraphe de l'extrait et essayez d'expliquer avec vos propres mots si la même sorte d'initiative existe ou n'existe pas dans votre propre pays. Que pensez-vous de l'initiative française/britannique? Ecrivez environ 200–250 mots.

CONSOLIDATION

 Revoyez: 8.10

 Etudiez:
Les adverbes, p. 141

Exercez-vous:

A l'aide des expressions de temps que vous voyez dans la colonne de gauche (et que vous avez rencontrées dans le texte), rendez en français les phrases de la colonne de droite.

– depuis plus de six mois	**1** for less than a year
– à partir du 1er mars	**2** From New Year's Day onwards
– durant 18 mois	**3** for a term
– pour six mois	**4** for a fortnight
– dès le 1er mars	**5** from my birthday on
– ayant auparavant répondu	**6** having previously telephoned
– chômeurs de longue durée	**7** long-term victims
– des mesures existantes déjà	**8** opportunities already existing
– en deux mois	**9** in five days
– dès la fin de février	**10** from the end of the winter

8.11

Les 12 métiers préférés des Français

A

Voici les 12 métiers préférés des Français. Trouvez leur description parmi les paragraphes qui suivent.

1 pilote de ligne
2 médecin
3 publicitaire
4 prof de fac
5 chercheur
6 ministre
7 rentier
8 banquier
9 chef d'entreprise
10 journaliste
11 comédien
12 avocat

SONDAGE VSD/LOUIS HARRIS
LES DOUZE MÉTIERS PRÉFÉRÉS DES FRANÇAIS

Exit les idées reçues: ce n'est ni l'argent – la profession de banquier ne recueille que 5% des suffrages –, ni les honneurs – ministre est classé en dernière position –, ni même la gloire – être comédien ne fait fantasmer que 12% de nos concitoyens – qui font rêver les Français. Premier des métiers qu'ils aimeraient ou auraient aimé faire: chercheur, profession d'humilité s'il en est; puis à égalité: pilote de ligne, pour le goût du risque et … rentier, pour le plaisir de ne rien faire!

A 7%
Défendre la veuve et l'orphelin, tout un programme! Pour les accros de justice, le métier offre un parcours précis: après une maîtrise de droit, le concours du Centre de formation vous projettera dans le milieu pour deux ans de stage. Aujourd'hui, on peut être libéral ou salarié. En enfilant la robe, vous entrerez dans la grande famille de 18 000 personnes.

B 20%
Ces héros du microscope, souvent dans l'ombre, sont portés par une réelle vocation. Travail de longue haleine, manque de moyens: les aléas pour servir la science. Quelle que soit la discipline choisie, il faut être ingénieur ou docteur. Un nouveau débouché pour l'an 2000: l'industrie, qui demande 20000 employés supplémentaires.

C 17%
La tête dans les nuages et maître à bord. Après l'obtention (très dure) d'un diplôme et un apprentissage il a la responsabilité totale des passagers ou des marchandises. Certaines compagnies aériennes offrent aujourd'hui des centres de formation interne. Un détail de choc: le salaire annuel tourne autour de 270 000 F.

D 17%
Avoir pour principale occupation le fait de compter son argent: alléchant, non? Pour cela, arrangez-vous pour gagner au Loto ou être le fils ou la fille d'un grand nom. Ensuite, investissez dans l'immobilier, l'art, la Bourse. Le choix est vaste. Condition sine qua non: un petit capital de départ!

E 17%
Il/elle effectuera au minimum sept ans d'études supérieures, auxquelles il faut ajouter quatre à cinq ans s'il veut faire une spécialisation. A noter: cette profession se féminise avec plus de 50% de femmes inscrites au tableau de l'Ordre. Quant aux revenus, ils sont nettement à la baisse …

F 16%
Cinglés de l'info, curieux en tout genre, lancez-vous dans ce domaine. Des écoles spécialisées sont là pour ça, mais attention, toutes ne sont pas reconnues! Le best: le CFJ et les filières universitaires de Lille et Strasbourg. Malgré un taux de chômage de 10% et une presse en difficulté, cette profession fait toujours rêver.

G 8%
Si vous savez lier la communication à la vente, la créativité à la consommation, vous y êtes. Mais vous n'êtes pas les seuls. Vous serez environ 100 000 dans quelques années. Pour mettre toutes les chances de votre côté: écoles supérieures de commerce, écoles artistiques viendront consolider votre talent.

H 2%
Vous voulez viser haut: pourquoi pas? La sécurité d'emploi n'est pas garantie, mais vous laisserez une trace dans l'Histoire! Il n'existe pas de recette précise, mais une valeur sûre: l'ENA. L'adhésion à un parti politique si possible d'avenir est fortement conseillée.

I 12%
La scène ou l'écran vous attirent, mais les feux de la rampe ne brillent pas pour tout le monde. Un grand nombre de cours d'art dramatique existent … méfiance. Le nec plus ultra: le Conservatoire de Paris, l'Ecole supérieure d'art dramatique de Strasbourg et l'Ecole nationale supérieure des arts de techniques de la rue Blanche, à Paris. Métier de rêve, soit, mais patience. Environ deux personnes sur cinq qui choisissent ce métier réussissent à vivre de leur art.

J 13%
Etre son propre patron, quoi de plus excitant? 40 000 jeunes se lancent chaque année. Les maîtres mots de ce métier: indépendance, ambition, responsabilité. Avec de bonnes idées et de fortes épaules. Premièrement, faites le bilan de vos compétences (le cursus de certains IUT comme celui de Sceaux les renforceront!). Deuxièmement: demandez conseil. ANCE, chambres de commerce et boutiques de gestion accueilleront vos idées. Ensuite, alea jacta est …

K 7%
'Education nationale devrait recruter 1500 maîtres de conférence d'université d'ici l'an 2000. Encore loin des besoins réels. En plus de la fonction d'enseignement, ils dirigent aussi des travaux de recherche. Pour siéger dans nos célèbres amphithéâtres, l'obtention de l'agrégation pour les disciplines médicales, juridiques, politiques et économiques est nécessaire. Le doctorat pour les autres disciplines.

L 5%
Cela vous dirait de devenir un professionnel de l'argent? Pour cela, certains diplômes sont appréciés: les bacs G2, G3, les BTS ou DUT de gestion, de commerce, voire les étapes universitaires spécialisées en banque et en finance. On dénombre aujourd'hui 390 000 salariés du secteur bancaire. Une chose est sûre: de nouveaux métiers y apparaissent. Pour réussir, spécialisez-vous!

B A discuter et à décider

1 D'abord, chaque membre du groupe doit remplir la grille suivante pour avoir des détails de chaque métier.

Métier	Détails	Action conseillée
journaliste	chômage à 10%, presse en difficulté	s'inscrire à une école spécialiste

2 Après avoir étudié votre grille, établissez votre propre liste des quatre métiers que vous préférez puis, avec vos camarades de classe, établissez ensemble une liste finale.

3 Concours!
Choisissez un des métiers et présentez-le au groupe pour persuader vos camarades que le vôtre serait une bonne carrière à suivre. A la fin de toutes les présentations, c'est aux membres du groupe de voter pour celui qui s'est le mieux défendu!

C A vous maintenant!

Choisissez 1 ou 2:
1 Ecrivez 200 mots environ sur «Mon emploi idéal». Si vous préférez, écrivez sous forme d'une lettre.
2 Décrivez en 200 mots n'importe quoi d'intéressant qui vous est arrivé au cours d'un «petit job» au weekend ou pendant les grandes vacances.

Ça roule!

«Tu prends?» «Le volant!»

La voiture – à quoi ça sert? De nos jours, c'est le moyen de transport le plus courant et le plus pratique. Mais il y a pourtant des inconvénients …

9.1

Comment se déplacer à 14 ans?

Vous n'avez peut-être pas encore votre permis de conduire et vous dépendez des autres pour vous déplacer. En France, pourtant, à partir de 14 ans beaucoup de jeunes trouvent une solution à ce problème. Ecoutez Anne-Sophie qui parle de son Solex.

A Elle dit que le Solex est …

1	Très populair
2	Un moyen d'indépendance
3	Un moyen de locomotion
4	Ça ne va très vite

Selon Anne-Sophie le Solex permet une certaine indépendance vis-à-vis des parents, mais il reste quand même des problèmes.

B *Travail à deux*

Ecoutez les problèmes d'Anne-Sophie et notez ce qu'elle dit.

Sans voiture, on …

1	pas sortir le soir
2	pas partir pendant la journée
3	pas partir à la campagne bras
4	obliger rester en ville
5	prendre le train le bus

Et vous? Travaillez à deux pour dresser une liste des inconvénients à ne pas avoir une voiture.

le volant	*steering wheel*
se déplacer	*to get around*

9.2

«Je n'ai pas encore mon permis.»

Juliette, une autre ado, ressent, elle aussi, les problèmes de ne pas encore avoir son permis. Ecoutez-la, et complétez, en utilisant la troisième personne du verbe, ce résumé de ce qu'elle dit.

1 Juliette n'a pas encore son permis parce que ____
2 Actuellement, elle ____ travail.
3 Ses parents ne sont pas ____ et elle doit ____
4 Juliette se sent ____ parce qu'elle voudrait ____
5 Elle dit que si elle avait une voiture ____ (3 choses).
6 Sans voiture elle a du mal à trouver un emploi, parce que ____
7 Si on lui proposait de travailler loin de ____ parce qu' ____
8 Dans ce cas-là, elle ____
9 ____ les amis qui ont une voiture pour ____
10 Et finalement, les amis ____

9.3

Conduite accompagnée

A En France il existe maintenant la «conduite accompagnée». Voici quelques détails du système. Il y a bien sûr des règles à suivre et une vignette à mettre sur la voiture. Que pensez-vous de ce système? A deux, considérez oralement les questions suivantes puis décidez avec le groupe entier si vous êtes pour ou contre cette méthode d'apprentissage de la conduite.

Conduite accompagnée: mode d'emploi

Depuis deux ans déjà , les moins de 18 ans peuvent conduire s'ils sont accompagnés. Désormais, cette conduite est autorisée également sur autoroute, de nuit et le week-end. Il suffit de s'inscrire dans un établissement de conduite ayant obtenu un agrément préfectoral spécial.

Le jeune conducteur passe le Code de la route après une formation de 20 heures, puis il doit ensuite effectuer un parcours de 3000 km dans un délai de un à deux ans. Un livret de «suivi de conduite» est alors délivré. Il autorisera le passage de l'examen de conduite à 18 ans. L'accompagnateur doit avoir 28 ans révolus, un permis de plus de trois ans et l'accord de sa compagnie d'assurance.

LA CONDUITE A 16 ANS C'EST PERMIS .....

....EN CONDUITE ACCOMPAGNEE.

1 Est-ce que c'est une bonne idée de laisser conduire les moins de 18 ans, même accompagnés? Pourquoi/pourquoi pas?
2 Et sur les autoroutes, ce n'est pas trop dangereux?
3 Que pensez-vous des autres conditions – une formation de 20 heures pour le Code et un parcours de 3000 km avant de passer l'examen?
4 Pourquoi l'accompagnateur doit-il avoir 28 ans?
5 Que pensez-vous de la vignette? Est-elle efficace, nécessaire?

B Rendez ce petit article en anglais.

9.4

Pour obtenir le permis de conduire ...

A Ecoutez Ariane, dix-huit ans, qui parle de ce qu'il faut faire pour avoir son permis de conduire. A vous de faire le résumé de ce qu'elle dit en complétant les phrases suivantes.

1 Si on veut avoir son permis, on doit ...
2 Pour réussir à la section code, on doit ...
3 Par contre, pour ce qu'on appelle la pratique, on doit ...
4 On doit répondre ...
5 Pour avoir le code, on doit ...
6 Si on fait plus de cinq fautes on doit ...

B On vous a offert un emploi en France, à condition d'avoir votre permis de conduire. Ce travail vous intéresse, mais malheureusement, vous ne savez pas conduire. Vous vous renseignez donc, au téléphone, auprès d'une auto-école. La gérante est très serviable et vous explique, de façon très détaillée, ce que vous devez faire. Ecoutez-la et prenez des notes en français.

| Pour préparer le code ... |
| Leçons de conduite ... |
| Techniques à apprendre ... |
| L'examen lui-même ... |

C Heureusement, vous obtenez votre permis du premier coup, mais vous n'avez pas votre propre voiture. La famille Mondon, chez qui vous logez et avec qui vous vous entendez bien, vient d'acheter une voiture neuve. En travaillant avec un(e) partenaire, essayez de persuader M. ou Mme. Mondon de vous la prêter.
Personne A: Expliquez pourquoi il vous faut absolument avoir la voiture. Rassurez-les en disant que vous savez conduire et qu'il n'y a pas de problème en ce qui concerne l'assurance.
Personne B: Vous êtes très fier/fière de votre voiture neuve. Cette jeune personne vient juste d'avoir son permis et elle n'a pas l'habitude de conduire en France. Cela vous inquiète, alors proposez-lui une autre solution.

9.5

Au volant de votre voiture

L'extrait suivant du roman, *Les Saintes Chéries*, raconte les aventures domestiques de l'auteur, Nicole de Buron. Un jour, Nicole est au volant de sa voiture en plein centre de Paris. Mais, comme le sait n'importe quel conducteur, la situation peut changer en un clin d'oeil …

Il fait beau, Paris est ravissant. Vous fredonnez au volant de votre voiture:

«Ta-ra-ta-ta, lala … Ah! me voilà presque arrivée chez le docteur. J'ai un quart d'heure d'avance. Tout juste le temps de trouver tranquillement une place pour garer la voiture. Olé! Il y a une plus loin – Non! C'est une porte cochère. Continuons. Qu'est-ce qui klaxonne derrière moi? Le conducteur de la Mercedes? Ben oui, je roule doucement, crétin, tu ne vois pas que je cherche à me garer? Hou! Qu'il a l'air méchant! Je déteste les possesseurs de Mercedes! Achetez français. Faut pas s'énerver comme cela, mon petit père, sinon on devient cardiaque avant l'âge … C'est inouï à quel point les gens perdent leur calme en voiture, à Paris.

»Allons bon! Un panneau d'interdiction de stationner? En quel honneur? Personne n'en sait rien, sauf un petit fonctionnaire caché dans un bureau quelque part. Le plus sûr, c'est encore de se ranger du côté où sont déjà garées toutes les autres voitures. C'est-à-dire en face … Naturellement, c'est toujours du côté opposé où je suis. Il faut que je coupe toutes les files de voitures. Allons-y! Clignotant, amorçons la manoeuvre … Mais enfin! madame, vous voyez bien que je veux aller en face me garer … Oui! me ga-rer! Pouffiasse, va! Son mari ne doit pas s'amuser tous les jours! Ne perdons pas notre calme. Laissons passer aussi ce monsieur si élégant. Hé là! sa portière frôle mon aile et il me regarde avec haine … Ben quoi, monsieur! j'ai mis mon clignotant, non? …

A Les dix phrases suivantes décrivent les changements d'humeur de Nicole alors qu'elle essaie de se garer. A vous de les ranger correctement dans le bon ordre, après avoir lu le texte.

3 1 Elle se décide.
6 2 Elle en veut aux voitures étrangères.
1 3 Elle est décontractée.
5 4 Elle change soudain d'humeur.
2 5 Elle est contente.
0 6 Elle ne comprend pas quelque chose.
4 7 Elle est légèrement déçue.
7 8 Elle prétend être calme.
9 9 Elle est un peu irritée.
10 10 Elle veut être polie.

B Exprimez autrement les phrases suivantes que vous allez trouver dans le premier paragraphe.

1 Vous fredonnez au volant de votre voiture.
2 J'ai un quart d'heure d'avance.
3 Les gens perdent leur calme en voiture.

C Les mots suivants se trouvent dans le troisième paragraphe du texte. Complétez les blancs dans la grille suivante.

nom	verbe
une interdiction	interdictionner
la station	stationner
le fonctionnaire	fonctionner
le clignotant	clignoter
garage	garer
la file	filer
la manoeuvre	manoeuvrer
le regard	regarder
le passage	passer
la haine	haïr

CONSOLIDATION

👁 **Revoyez:** 9.5

✋ **Etudiez:**
Le Subjonctif, p. 147, Constructions avec l'Infinitif, p. 149

✋ **Reprise:** 8.1, 8.5

🖐 **Exercez-vous:**

Dans le texte se trouve l'expression «Il faut que je coupe». N'oubliez pas la forme alternative, «Il me faut couper». Utilisez cette forme à l'Infinitif pour donner l'equivalent de chacune des phrases suivantes:

1 Il faut que je continue.
2 Il faut que tu klaxonnes.
3 Il faut que nous roulions doucement.
4 Il faut que je la laisse passer.
5 Il faut que tu cherches à te garer.
6 Il faut que nous la regardions.
7 Il faut qu'elle gare la voiture.
8 Il faut que nous achetions français.

9.6 🏉

Sommes-nous esclaves de la voiture?

Regardez cette suite de dessins qui décrit la semaine de M. Renault.

Comment M. Renault voit-il sa voiture? Est-ce qu'il en est esclave ou maître? Quelles autres idées la série de dessins vous inspire-t-elle? Vous la trouvez amusante? réaliste? ironique? Rapportez votre avis au groupe.

9.7

Voiture égale indépendance?

Arrive enfin le jour où on a sa propre voiture, et où on ne dépend plus des autres pour se déplacer. Voici Martin qui parle de sa première voiture.

«Ma première voiture, je l'ai achetée en 1968, c'était une 2 chevaux Citroën. Je l'ai achetée avec l'argent que j'ai gagné … je venais de commencer comme journaliste et je me rappelle avoir eu un pépin avec elle. En mai, '68 c'était, tout le monde sait en France ce que c'est que mai 68, les étudiants qui manifestent à Paris, des grèves dans toute la France et on n'avait plus d'essence, on ne pouvait plus tellement circuler, et j'avais appris qu'une station-service était ouverte dans Lorient, mais qu'il fallait aller vite pour se ravitailler. Alors, j'ai foncé sur la route, quelqu'un m'a refusé la priorité, et paf! j'ai eu l'arrière de ma voiture enfoncée si bien que l'essence, je n'ai pas pu l'avoir et j'ai dû l'envoyer au garage.»

A Comme vous le voyez, les phrases suivantes, qui font le résumé de ce que Martin a raconté, ne sont pas complètes. A vous de les compléter en adaptant le texte là où il le faut.

1 En 1968, Martin a ____ voiture.
2 Avant de ____ faire des économies.
3 Il ____ journalisme.
4 A Paris, en mai, 68, ____ d'étudiants.
5 Il était impossible ____ dans la région.
6 On ____ ouverte dans Lorient.
7 Il fallait ____ pour y arriver à temps.
8 On lui a ____ sa voiture.

B Avec sa première voiture, il arrive souvent, paraît-il, son premier accident. Ecoutez maintenant Jean-Marc qui nous raconte, non sans une certaine nostalgie, ce qui lui est arrivé.

Comment Jean-Marc dit-il?

1 a typical student's car
2 waiting patiently
3 skidded on black ice
4 my night ended

C Ecoutez Jean-Marc encore une fois, et complétez les phrases suivantes. Faites attention aux accords!

1 La vieille voiture que ____ que ____ 350 francs.
2 Je crois que ____ qui ont suivi.
3 Je l'avais ____ tissu écossais.
4 C'est une voiture ____ mes études.
5 Au niveau ____ camarades étudiants.

D Dressez une liste des nombreux mots ou expressions qui montrent le rapport spécial entre Jean-Marc et sa première voiture.

9.8

Accidents!

Il y a bien sûr des aspects dangereux en ce qui concerne la conduite des voitures et on voit de plus en plus d'accidents, surtout en ville. Lisez cet article tiré du journal *Le Dauphiné*.

DEUX PIÉTONS ET UN MOTARD BLESSÉS

Grenoble. – Les gendarmes et les sapeurs-pompiers de Vizille ont eu fort à faire hier au soir puisque trois accidents de la circulation sont intervenus entre 17 et 18 heures.

Le premier, à 17 h 15, a mis en cause un piéton et un automobiliste. Mme Violette Bernard qui demeure à la Tour de l'Alliance à Vizille <u>a été renversée avenue Maurice Thorez</u> à la hauteur du carrefour du groupe de secours par une 205 Peugeot conduite par Jean-Luc Feugère de Meylan.

Blessée, <u>elle a été transportée</u> par les sapeurs-pompiers de Vizille sur l'hôpital Albert Michallon.

Le second accident a eu lieu à 17 h 30 après le carrefour Muzet alors qu'il y avait une circulation intense. Un 305 Peugeot conduite par Jean-François Curtelin de Grenoble qui venait de l'Alpe d'Huez a tourné sur sa gauche pour se diriger vers les établissements Cogne. C'est alors qu'une Yamaha FZR conduite par Alain Aimé qui demeure à Grenoble a <u>percuté</u> le véhicule à la

hauteur de la porte avant. <u>Blessé</u>, le motard a reçu les premiers soins par les sapeurs-pompiers de Vizille avant d'être dirigé <u>sur l'hôpital</u> Albert Michallon.

Quant au troisième accident, <u>il est arrivé</u> sur la voie express de Vizille. Un homme <u>a été fauché alors qu'il</u> changeait la roue de son véhicule. Franck Marcak de La Mure <u>a été évacué sur Grenoble</u> alors qu'il souffrait d'une fracture ouverte au bras droit.

Les trois constats <u>ont été effectués par</u> la brigade de gendarmerie de Vizille.

A Après avoir lu l'article, décidez si les phrases suivantes sont vraies ou fausses.

1 Les gendarmes de Vizille ont eu beaucoup de travail.
2 Le premier accident a été causé par un piéton.
3 Le deuxième accident s'est produit une demi-heure plus tard.
4 Cette fois il s'agissait de deux voitures.
5 La troisième victime n'était pas au volant de sa voiture.

B Ecrivez une phrase en français pour définir chacun des mots suivants:

1 un sapeur-pompier
2 un gendarme
3 un piéton
4 la voie express
5 les premiers soins
6 un constat

C *Travail à deux*

Regardez la photo de l'article et discutez l'accident avec un(e) partenaire. Si vous voulez, utilisez les expressions dans la case pour vous aider:

> *Comment était la circulation?*
>
> *Qui est-ce qui a percuté le véhicule?*
>
> *A quelle hauteur?*
>
> *Qu'est-ce qu'on a fait pour le blessé?*

Personne A: Vous êtes la personne à gauche sur la photo et vous venez d'arriver sur les lieux de l'accident. Posez des questions pour savoir ce qui s'est passé exactement et proposez ce qu'on doit faire pour aider la victime.

Personne B: Vous avez vu l'accident. Donnez des détails précis de ce qui s'est passé et expliquez ce qu'on a déjà fait pour aider la victime.

CONSOLIDATION

Revoyez: 9.8

Etudiez:
Le passif au Passé Composé, p. 148

Exercez-vous:

Utilisez les exemples soulignés dans le texte pour vous aider à dire en français:

1 You (vous) were run over in avenue des Martyrs.
2 She was taken off to hospital by ambulance.
3 I was mown down while (I was) crossing the road.
4 Were you (tu) evacuated to La Roquebou during the war?
5 The crime was carried out by the crook over there.

CONSOLIDATION

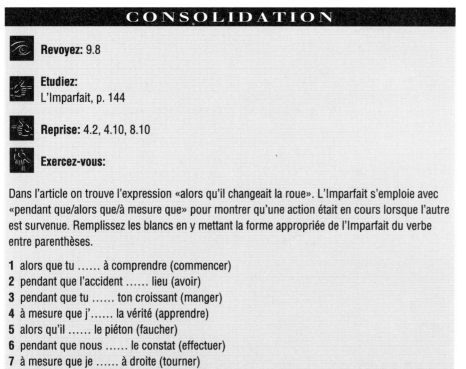

Revoyez: 9.8

Etudiez:
L'Imparfait, p. 144

Reprise: 4.2, 4.10, 8.10

Exercez-vous:

Dans l'article on trouve l'expression «alors qu'il changeait la roue». L'Imparfait s'emploie avec «pendant que/alors que/à mesure que» pour montrer qu'une action était en cours lorsque l'autre est survenue. Remplissez les blancs en y mettant la forme appropriée de l'Imparfait du verbe entre parenthèses.

1 alors que tu …… à comprendre (commencer)
2 pendant que l'accident …… lieu (avoir)
3 pendant que tu …… ton croissant (manger)
4 à mesure que j'…… la vérité (apprendre)
5 alors qu'il …… le piéton (faucher)
6 pendant que nous …… le constat (effectuer)
7 à mesure que je …… à droite (tourner)

D *A vous maintenant!*

En vous référant à l'article, rendez en français le texte suivant.

Several traffic accidents occurred yesterday evening near Vizille. At 5.15pm, a pedestrian was knocked down by a Peugeot 205 and was taken to hospital. A quarter of a hour later, a motorcyclist was injured when his Yamaha collided with another car. The third accident happened when a man, who was changing the wheel of his vehicle, was mown down. The three victims, however, were not seriously injured.

9.9

Boire ou conduire?

Malgré la publicité qui vise ceux qui boivent de l'alcool avant de prendre le volant, certains n'y croient pas. Voici quelques excuses données par des Français quand on les a avertis des dangers de l'alcool au volant.

3 MAIS ...
Je ne suis pas alcoolique

1 MAIS ...
Je ne bois jamais de grosses quantités d'alcool

2 MAIS ...
Je ne bois que de la bière, jamais d'alcool

4 MAIS ...
mon activité physique me permet d'éliminer l'alcool

5 MAIS ...
Je ne bois que dans les grandes occasions

A Voici quelques renseignements distribués par La Prévention Routière Française. A vous de chercher parmi eux une réponse à chaque excuse ci-dessus.

A

D'abord, de petits verres d'alcool, bien insuffisants pour provoquer l'ivresse, créent des risques sérieux sur la route.

Ils provoquent en effet une sensation agréable qu'on appelle l'EUPHORIE. C'est l'impression d'être en forme, de ne plus avoir de problème. Les relations avec les autres deviennent plus faciles, plus chaleureuses.

Mais en même temps, perception visuelle se détériore.

La capacité d'analyser objectivement la situation perturbée. Les réflexes sont ralentis.

C'est quand on croit que tout va bien que cela commence à aller mal.

B

Diverses études ont montré qu'en moyenne chaque conducteur circule environ **7 heures par an** *au-dessus du taux légal d'alcoolémie.*

C'est peu, mais suffisant pour provoquer 40% des accidents mortels sur les routes! 4800 décès sont ainsi causés par des conducteurs qui ne sont pas forcément des alcooliques!

C

L'alcool n'est pas brûlé par les muscles. Moins de 5% disparaît avec la respiration et la transpiration. Le reste circule dans tout l'organisme et n'est évacué que très lentement par le foie et les reins.

L'effort physique ne change donc ni le rythme d'élimination, ni les effets de l'alcool.

D

Il ne faut pas confondre «boire **un** alcool» c'est-à-dire un petit verre de calvados, de cognac, avec «boire **de** l'alcool» c'est-à-dire une boisson contenant de l'alcool, même dilué, comme du vin, de la bière ou du cidre. Ils ont **LE MÊME EFFET** sur l'organisme et provoquent les mêmes risques d'accident.

E

C'est effectivement le cas pour beaucoup de gens qui ne consomment de l'alcool qu'exceptionnellement, au cours de repas de fête (dîner chez des amis, mariage, nouvel an, etc.).

La rareté de ces événements n'y change rien: le jour où ils ont bu, s'ils conduisent, ils courent un risque très important.

Souvenez-vous de votre repas de Noël!

Lors d'une telle fête, il est courant d'absorber les boissons suivantes:
- 2 apéritifs
- 2 verres de vin blanc avec les hors-d'oeuvre
- 4 verres de vin rouge avec les plats
- 1 verre de vin rouge avec le fromage
- 1 coupe de champagne
- 1 digestif

115

B Vous travaillez pour la rédaction d'une station de radio universitaire. Votre tâche:

1 Vous préparez pour le speaker/la speakerine un résumé des idées les plus importantes parmi ces renseignements. Cela doit durer précisément trente secondes.

2 Enregistrez votre résumé.

3 ACCIDENTS MORTELS SUR 7 SONT DUS A L'ALCOOL

CONSOLIDATION

Revoyez: 9.9

Etudiez:
Adverbes de négation, p. 137

Exercez-vous:

Dans cette publicité il y a plusieurs adverbes de négation assez complexes. Après les avoir discutés, essayez l'exercice suivant.

Complétez chaque phrase avec l'adverbe approprié, trouvé dans la case:

1 De la viande? Etant végétarien je … en mange …!

2 On … apprend … très lentement à parler.

3 Tu … bois … bière … vin?

4 Je … y vois Géraldine …, aux jours de fête, par exemple.

5 J'ai eu le sentiment de … être de ce monde.

6 Etant antialcoolique, je … bois … des boissons non-alcoolisées.

7 … mes parents … mes amis … m'ont crue coupable de ce crime de passion.

8 Tu as des préjugés! Les pauvres … sont …… des criminels!

---

ne … que
ne plus
ne … pas forcément
ne … qu'exceptionnellement
ne … ni … ni …
ni … ni … ne …
ne … jamais

9.10

Ivre au volant …

La police française a beaucoup de travail sur les routes et ce n'est pas toujours le public qui est victime des accidents. Lisez cet article de *Ouest-France* où il s'agit d'un accident causé par un automobiliste en état d'ivresse.

Deux policiers rouennais tués, un autre dans un état désespéré

Ivre au volant, il fauche trois motards

Pas de traces de freinage

Deux tués, un blessé dans un état désespéré. La police rouennaise est en deuil après l'accident qui a frappé trois des siens, jeudi soir, sur une voie express. Responsable, encore une fois: l'alcool au volant.

«Un véritable massacre.» Le commentaire d'Erick Mathonneau, directeur départemental des polices urbaines de Seine-Maritime, après l'accident qui a coûté la vie à deux policiers rouennais, en blessant très grièvement un troisième, est éloquent.

Il est 20 h 40 jeudi soir. Trois policiers motocyclistes stationnent au pied d'un feu rouge, sur le terre-plein central de la voie express qui, débouchant de l'autoroute Paris-Rouen, pénètre dans l'agglomération rouennaise. L'endroit, situé face au Parc des Expositions, est bien éclairé. La présence des motards est dissuasive: quittant l'autoroute, les automobilistes roulent souvent à trop vive allure.

Soudain surgit un break R21. A son volant, Christian Vignon, 43 ans, patron d'une entreprise de transport à Bosquérard-de-Marcouville dans l'Eure. Vitesse excessive? L'enquête le déterminera. Toujours est-il que le conducteur, perdant le contrôle de son véhicule, franchit le trottoir qui borde le terre-plein et fauche les trois policiers.

Le choc est effroyable. Les trois hommes sont traînés sur plusieurs dizaines de mètres, une des motos étant littéralement pulvérisée. Aucune trace de freinage n'a été relevée. Ghislain Marchand, 36 ans, marié et père d'un enfant, et Pascal Deneubourg, 35 ans, lui aussi marié, deux enfants, sont tués sur le coup. Le troisième, Pascal Schang, 29 ans, marié et père d'un enfant, projeté à une trentaine de mètres, est dans un état qualifié de désespéré par le centre hospitalier régional Charles-Nicolle de Rouen où il a été transporté. L'automobiliste, lui, est indemne. Le contrôle auquel il a été soumis révélera une alcoolémie de 2,40 grammes.

A Lisez l'article et remplissez les blancs dans les phrases suivantes.

1 Deux policiers ont ____ à la suite d'un accident de voiture.
2 On constate qu'après____, les automobilistes roulent à trop vive allure.
3 Ayant ____, le conducteur a franchi le trottoir.
4 On____ aucune trace de freinage.
5 On ____ une alcoolémie de 2.40 grammes.

B Trouvez dans le texte d'autres façons d'exprimer les mots suivants:

1 près de la mort
2 sont immobiles
3 sortant
4 entre
5 une vitesse excessive
6 il reste quand même vrai
7 écrasé
8 tout de suite
9 sain et sauf

C *A discuter et à établir*

Voir (à droite) la suite de cet accident.

Et la réglementation ... Si l'alcoolémie est supérieure à 0,8, les tribunaux peuvent imposer les sanctions suivantes.

En travaillant en groupes de trois ou quatre personnes, discutez les questions suivantes. L'un de vous doit prendre des notes.

1 Est-ce que le préfet mentionné dans l'incident «Ivre au volant» a été juste?
2 Est-ce que la réglementation est trop sévère ou pas assez?
3 Est-ce qu'il y aurait d'autres mesures à prendre? Lesquelles?
4 Est-ce que vous connaissez quelqu'un qui a déjà conduit en état d'ivresse?

Maintenant établissez une liste de conseils pour les jeunes conducteurs qui se trouvent tentés de conduire en état alcoolique.

CONSOLIDATION

 Revoyez: 9.10

Etudiez:
Adjectifs et Noms participiaux, p. 144

 Exercez-vous:

Utilisez les adjectifs et les noms participiaux tirés du texte et écrits dans la case ci-dessous pour remplir les phrases, en y mettant les accords nécessaires:

1 Par suite de l'accident il y a trois ...... et cinq ...... dont un mortellement.
2 Ils ont rendez-vous dans l'église ...... en face de la gare.
3 J'ai trouvé son ancien ...... dans un état ......
4 La mairie a été ...... par le char blindé.
5 Le groupe consistait en deux célibataires et deux hommes ......
6 Ce quartier louche n'était pas très bien ......
7 Nulle trace de sa présence n'a été ......

fiancé	situé	tué	relevé
éclairé		blessé	marié
	pulvérisé	désespéré	

Le préfet de région, Jean-Claude Quyollet, a aussitôt ordonné la suspension de son permis de conduire. Placé en garde à vue, l'automobiliste a été inculpé hier soir d'homicides et de blessures involontaires avec circonstance aggravante et de conduite sous l'emprise d'un état alcoolique et écroué.

Conduite sous l'empire d'un état alcoolique:
• Emprisonnement de deux mois à deux ans et/ou amendes de 2000 F à 30 000 F.
• Peine de travail d'intérêt général, à titre de peine complémentaire.
• Suspension du permis de conduire pour trois ans maximum.
• Annulation du permis pour trois ans maximum avec obligation de repasser le permis après un examen médical et psychotechnique.

Homicide ou blessure involontaires lors de la conduite en état alcoolique ou récidive de conduite en état alcoolique:
• Immobilisation pendant un an au plus, ou confiscation définitive du véhicule utilisé si le prévenu en est propriétaire.• Annulation automatique du permis.

D *Travail à deux*

Après avoir passé la soirée au café, vous rentrez chez votre ami(e) français(e). Il/elle a trop bu, mais insiste qu'il/elle est capable de conduire.

Personne A: Essayez de persuader votre ami(e) de ne pas conduire, en citant tous les dangers et toutes les conséquences possibles..
Personne B: Vous insistez qu'il n'y a pas de problème. Répondez aux objections de votre ami(e).

Trouvez une solution!

9.11

Comment éliminer les chauffards?

Pascale, 18 ans, a écrit une lettre à son journal régional pour exprimer ses sentiments sur la fréquence des accidents de la route.

J'écris au nom de tous ceux qui sont horrifiés par les accidents de voiture. Et j'espère qu'il y en a beaucoup. Je suis révoltée, stupéfaite en voyant à quel point on banalise l'accident de la route! Oui, je sais, j'en ai pris conscience il y a un mois seulement quand un ami est mort dans un accident de voiture. Il n'avait que 17 ans. Et ce chauffard n'a même pas eu trois mois de prison! Hier j'ai revu ce mec rouler à une de ces allures … Lundi, un autre ami a eu un accident de voiture. Son père est mort, lui est dans le coma! Dans le journal local il n'y a qu'un tout petit article! Mais comment voulez-vous que les gens prennent conscience que la route tue de plus en plus? Que pouvons-nous faire?

Voilà, je tenais à ce que cela soit dit. Le pire, c'est qu'on ne peut rien faire. J'aimerais beaucoup que ma lettre soit publiée, au moins pour qu'on en parle une fois!

Pascale

À vous maintenant!

Au choix

1 Avant de répondre à cette lettre, dressez une liste des règles que vous mettriez en vigueur pour réduire, sinon éliminer, le taux d'accidents de la route.

Puis répondez à la lettre en exprimant vos propres sentiments. Ecrivez 250 mots environ.

ou

2 Imaginez que vous avez témoigné/subi un accident qui résulte d'un cas «ivre au volant». Décrivez en 250 mots ce qui s'est passé.

CONSOLIDATION

Complétez ces locutions courantes que vous avez rencontrées dans l'unité.

1 A …… ça sert?
2 Le jeune conducteur …… le Code de la route.
3 Vous …… renseignez au téléphone.
4 De …… très détaillée.
5 Il …… absolument avoir la voiture.
6 N'…… quel conducteur le sait.
7 Tout juste le …… de trouver une place.
8 Il faut …… je coupe toutes les files.
9 L'accident a eu …… à 17h30.
10 C'est le …… pour beaucoup de gens.
11 Encore une ……, l'alcool au volant.
12 Après …… quitté l'autoroute.

Vive les Vacances?

LES DEPARTS EN VACANCES

LA PRÉVENTION ROUTIÈRE

Vous avez travaillé dur pendant toute l'année. Ce sera bientôt la fin du trimestre. Devant vous, la perspective de longues semaines de vacances de liberté – ou d'ennui!

10.1

Les vacances s'approchent

A Remettez ensemble les débuts et fins des phrases suivantes pour en faire des phrases complètes qui résument les points importants dans cette publicité de la Prévention Routière:

1 Pour certains individus les vacances représentent une évasion vers...
2 Quel est votre rêve – ...
3 Il faut faire des préparatifs ...
4 Votre voiture est une sorte ...
5 Votre voiture s'utilise pour ...
6 Une panne ou un accident de voiture ...
7 Pendant la période des vacances ...

a de meilleure amie.
b il y a beaucoup d'accidents.
c escalade ou pêche à la ligne?
d peut tout gâcher.
e presque tout déplacement pendant les vacances.
f avant de partir.
g le coin le plus perdu d'Europe.

Préparez-vous!

Pour certains, ce sera le grand dépaysement à l'autre bout de l'Europe ou du monde!

Pour les autres, la plage, la planche à voile ou le bateau, ou encore les joies de la montagne ou les plaisirs tranquilles du petit coin de campagne.

Sport ou repos, escalade, tennis, pétanque ou pêche à la ligne: chacun son rêve!

Une amie précieuse, la voiture, va permettre à chacun de réaliser pleinement ses projets.

Pour le trajet d'aller et de retour, bien sûr, mais aussi pour tous les petits ou grands déplacements quotidiens, les courses, le chemin de la plage, les excursions à la découverte de nouveaux paysages, de beaux monuments ou de sympathiques auberges.

Mais alors, quelle tristesse si cette voiture venait tout gâcher par une défaillance soudaine, au moment où l'on compte le plus sur elle, ou pire, si elle devait être l'occasion d'un drame comme on en compte, hélas, beaucoup pendant les vacances!

Une petite préparation avant le départ, quelques précautions en cours de route, pendant le trajet ou au cours des balades sur place, devraient éviter tout ennui.

Si on voyait cela ensemble? D'accord?

LA PRÉVENTION ROUTIÈRE

B Faites deux listes d'activités vacancières: celles que vous aimez, et celles que vous n'aimez pas. Comparez votre liste avec celle d'un(e) partenaire et discutez les raisons de vos choix. Ecrivez un résumé de votre discussion.

10.2

Anne-Sophie: Idées vacances

A Ecoutez les paroles d'Anne-Sophie puis décidez «vrai» ou «faux» pour chacune des phrases suivantes.

1 La famille d'Anne-Sophie partageait ses vacances entre le nord et le Midi de la France.
2 Pendant son adolescence elle est devenue moins confiante.
3 Elle n'aimait pas tellement la montagne.
4 A l'âge de seize ans elle aimait bien la compagnie.
5 Elle a partagé ses premières vacances sans ses parents avec une copine en Espagne.
6 Etre en vacances sans ses parents a changé sa façon de regarder les choses.
7 Sans ses parents il y a eu encore plus de disputes.
8 Avec ses parents on agit d'une façon plus conventionnelle.
9 Sans ses parents il n'y a presque pas de timidité.

B Ecoutez encore une fois les idées d'Anne-Sophie et faites la liste de celles avec lesquelles vous êtes …

d'accord ✔	*pas d'accord* ✖	*ni pour ni contre* ↔

Comparez votre liste avec celle d'un(e) partenaire et notez vos points d'accord et de désaccord. Discutez vos raisons.

10.3

Entente cordiale – en vacances!

A Lisez l'article à la page 121 et écrivez vos réponses aux questions.

1 Pourquoi *Salut!* a-t-il décidé de rédiger cet article, à votre avis?
2 Quel souvenir des vacances est-ce que les amis vont probablement envier?
3 Qu'est-ce qui complique la situation pour les garçons?
4 Comment les parents peuvent-ils aider sur le plan financier?
5 Notez les suggestions pour ne pas être sans argent.
6 Pour vous, est-ce qu'une «permission de minuit» suffirait?
7 Quel mensonge est fortement déconseillé?
8 Quelle initiative est conseillée au commencement des vacances?
9 Quelle attitude devrait-on prendre si les choses ne marchent pas bien?
10 Si on tombe amoureux/amoureuse qu'est-ce qu'on doit faire pour prendre en considération les parents?

B Trouvez dans l'article une expression qui a le même sens que chacune des suivantes:

1 ne dure pas longtemps
2 que vous désirez
3 cela devient plus difficile
4 quant au
5 s'il le faut
6 sans argent
7 avec l'excuse que
8 créer
9 il ne faut jamais dire
10 ne pas dire la vérité

C *Travail à deux*

Situation: un(e) ado anglais(e) est chez son corres dont la famille discute les vacances.

Personne A: Vous êtes le parent français. Demandez des suggestions pour des vacances réussies. Soyez prêt(e) à discuter les idées données.
Personne B: Vous êtes l'ado et vous faites une liste de suggestions en utilisant l'article en face et les idées d'Anne-Sophie (voyez 10.2) comme base.

D Faites une version écrite de la conversation et de vos décisions.

Vacances en famille: dans la bonne humeur!

Pour beaucoup d'entre vous, les vacances se passeront (du moins en partie) en famille. *Salut!* **vous donne quelques petits conseils pour que ces deux mois d'été ne soient pas un cauchemar pour vous … mais aussi pour eux!**

Pas de vacances heureuses sans argent de poche …
Bien sûr, vous n'en avez jamais assez … et en vacances, l'argent file vite …

Il y a les sorties en bande, les pots dans les cafés ou les boîtes de nuit, et puis le super tee-shirt dont vous avez envie parce qu'il met votre bronzage en valeur, ou encore le cadeau-souvenir que vous voulez rapporter à votre petit(e) ami(e) …

Pour les garçons, l'affaire se complique: vous aurez sûrement envie d'inviter une fille à boire un verre, à faire du bateau, à aller au cinéma ou en boîte de nuit … Alors comment faire? En matière de budget, pas de miracle mais c'est vrai qu'on peut quand même essayer de gérer son budget. Au début des vacances, faites le compte de ce dont vous disposez et organisez-vous. Au besoin, vous pouvez demander à cette occasion une petite «rallonge» ou un prêt «spécial vacances» à vos parents.

Sachez que la seule façon de ne pas être toujours fauché(e) c'est de tenir ses comptes, tout simplement avec un petit carnet où vous noterez soigneusement rentrées et dépenses.

Le principal souci de vos parents est que vous vous rendiez compte de la valeur des choses et que vous ne dépensiez pas votre argent n'importe comment. En leur montrant que vous savez gérer un budget, il est évident que vous les convaincrez plus facilement de vous augmenter. En vacances, il vous sera plus facile de leur parler, en laissant de côté toute agressivité. Les vacances, les repos, la détente, c'est pour eux aussi!

Les sorties: l'heure c'est l'heure!
Une permission de minuit, c'est une permission de minuit … alors pas question de rentrer à minuit et demi ou une heure sous prétexte que «de toute façon ils seront déjà couchés» … C'est le meilleur moyen d'instaurer un climat de tensions et de reproches. Vous avez besoin d'une permission spéciale?

Demandez «avant» et ne les mettez pas devant le fait accompli … il n'y a rien de plus exaspérant!

La petite phrase à éviter: «de toute façon j'fais ce que j'veux!» car vacances houleuses assurées … Vous avez envie qu'on vous respecte? Normal, mais que cela ne soit pas à sens unique. De même qu'il est inutile de mentir sur le lieu où vous vous rendez. Vous sentirez mal à l'aise et coupable et du coup vous en oublierez de vous amuser.

Dès le début des vacances, présentez à vos parents vos copains et copines, cela instaurera un climat de confiance indispensable pour des vacances cool.

Les «corvées» des vacances
Il vous faudra continuer à mettre la table, à faire (de temps en temps …) la vaisselle, bref à aider … alors choisissez dès le départ de le faire avec le sourire. Vos parents vous demandent de passer l'après-midi avec eux? D'accord, ce n'est peut-être pas la sortie «chic et choc» dont vous rêviez, mais vous pouvez tout de même faire un petit effort! N'oubliez pas que tout est plus facile quand on relativise les choses et qu'on les prend avec philosophie …

Amours de vacances: pas de provocation inutile …
Vous venez de rencontrer le garçon ou la fille de vos rêves? Inutile d'affoler vos parents … Rassurez-les en vous montrant prudent(e) … Vous le savez, ils n'ont peur que d'une chose: que vous fassiez une mauvaise rencontre …

Un dernier conseil:
Pour vivre en harmonie avec votre famille, en vacances comme pendant l'année, il faut aussi le vouloir, et le vouloir vraiment!

Vous aussi vous voulez donner votre avis sur ce thème ou un autre concernant les rapports «garçons-filles»?
Alors n'hésitez pas, envoyez-nous vous aussi une carte postale avec votre nom et votre numéro de téléphone à Salut! «garçons-filles», 13 rue de la Cerisaie, 75004 Paris.

10.4

Vive les vacances?

CES VACANCES, QUEL ENNUI POUR MOI!

Je suis dans ma chambre et je suis censée préparer mes bagages parce que nous partons demain en vacances. Mais en fait je préfère vous écrire mon témoignage pour vous dire que je n'ai pas du tout envie de faire ma valise, et encore moins de descendre dans le Midi demain avec mes parents et mon petit frère. Le Midi, le soleil, c'est tout un programme de rêve pour la plupart des gens surtout quand on habite en Normandie où il pleut la plupart du temps. Je devrais donc être heureuse n'est-ce pas? Eh bien, je ne le suis pas. Pourquoi? Parce que depuis quelques années, nous allons avec la régularité d'une horloge dans un camping. Quand j'étais petite ça allait encore. Je ne me rendais pas compte … quelques camarades, une pelle, un seau, des petits pâtés, ma foi je m'amusais. Mais maintenant, je ne peux plus supporter ce camping. Et pourtant si vous saviez comme mes parents étaient fiers de l'avoir découvert. Pensez, un camping de 402 emplacements où, au maximum en plein mois d'août, seulement une soixantaine sont occupés. «C'est comme s'il était pour nous tout seuls. Pas de vacanciers super-excités, pas de bruit. L'idéal quoi!» Voilà ce qu'ils disent. L'idéal pour eux peut-être, pas pour moi. «J'ai besoin d'être avec des gens de mon âge. Et dans ce camping, il n'y a que des mômes et des «3ᵉ âge». Personne de mon âge. Et d'ailleurs, s'il était tellement bien ton camping «idéal» pourquoi est-ce qu'il est presque toujours désert, hein, pourquoi, dis-moi un peu? Il y a deux courts de tennis … mais il n'y a jamais personne qui y joue. Il y a une piscine, mais c'est plutôt une mare à canard avec son eau blanchâtre, qui vous arrive à la taille. Franchement maman qu'est-ce que tu veux que je fasse toute la sainte journée?» «Fais comme nous: la chaise longue, la bronzette, et la lecture ou plus exactement la révision de tes cours pour l'examen». «Il est super ton programme maman. Pas une fille de 17 ans n'y résisterait. Je t'avertis, je resterai enfermée sous ma tente canadienne, comme je l'ai fait cet été … Parce que figure-toi qu'à mon âge, ce n'est pas de

repos dont j'ai besoin. C'est d'activités au contraire … et aussi de m'amuser, d'aller danser. Tu en conviendras, il n'y a pas un seul ado là-bas.

«J'ai besoin d'être avec des gens de mon âge.»

Il n'y aura que moi, comme cet été. Franchement je préférerais rester à la maison. Ici au moins j'ai mes copines, mes activités …» «Rester ici? Toute seule? Tu n'y penses pas Sandra» «Et pourquoi s'il te plaît? Je ne suis plus un bébé. Je resterai avec le chien. Il me «gardera» si tu as peur pour moi». «Il n'en est pas question. Tu as besoin de vacances, et de soleil …» «Et surtout de m'ennuyer, c'est ça, comme au mois d'août. J'en ai marre du camping et le petit frère …» C'est cet été, au mois de juillet, que j'ai découvert ce qu'étaient des vraies vacances. Après des pourparlers interminables mes parents avaient consenti à me laisser aller dans un camp adolescents. Pendant trois semaines. Eh bien, je ne me suis pas ennuyée une seconde. C'était la première fois que je quittais ma

famille et que je partais sans elle. Je me suis fait des tas de copains et de copines. J'étais bien. Vraiment dans mon élément. Tout me paraissait chouette. Même ce qu'on appelle les corvées, telles que faire la vaisselle, par exemple, parce qu'il y avait l'ambiance … c'est pourquoi le séjour au mois d'août dans le camping «calme» et reposant m'a semblé, en comparaison, mortel et ennuyeux. Et avec ça c'était au mois d'août. Qu'est-ce que ça va être à Pâques! Quand on me dit que j'ai de la chance de partir en vacances, franchement ça me fait rire.

«Qu'est-ce que ça va être à Pâques!»

Maintenant, je vais vous quitter et je vais aller faire mes bagages. Et demain en bonne petite que je suis je prendrai le route avec mes parents. Mais j'aimerais bien savoir: Est-ce qu'il y a d'autres lectrices qui ont mon problème et qui elles aussi vont «en vacances» avec si peu d'entrain que moi? Ça, je voudrais bien le savoir.

Sandra

A Lisez la lettre de Sandra, parue dans le magazine *OK*, et notez les raisons pour lesquelles (a) Les parents de Sandra aiment faire du camping et (b) Sandra déteste ça.

B Sandra n'est pas contente de sa situation personnelle. Trouvez toutes les expressions dans le texte qui démontrent ses émotions. *Par exemple:* je n'ai pas du tout envie.

C Si vous aviez reçu cette lettre de la part de Sandra, la soeur de votre corres, quels auraient été vos conseils? Formulez des suggestions et notez-les.

D Trouvez dans la première partie de l'article des mots ou des expressions qui sont *le contraire* des suivantes:

1 défaire
2 je voudrais absolument
3 même plus
4 un cauchemar
5 peu souvent
6 je comprenais
7 avaient honte
8 libres
9 calmes
10 plein à craquer

CONSOLIDATION

 Revoyez: 10.6

Etudiez:
Le Conditionnel, pp. 146–7,
Le Futur, p. 145

Reprise: 1.14, 2.3

 Exercez-vous:

1 Faites la liste de tous les verbes au Conditionnel dans le passage.
2 Ecrivez de nouveau chaque phrase qui contient un tel verbe, en le changeant au Futur.
Exemple: On serait huit → On sera huit.

10.5

Etienne parle de ses vacances

A Ecoutez Etienne qui parle des vacances qu'il a passées quand il était ado. Notez pour chacune des phrases suivantes «vrai» ou «faux».

1 Etienne et ses copains n'ont pas eu de frais de voyage.
2 Ils ont trouvé facile de porter leurs affaires.
3 Ils n'ont pas eu de mal à se déplacer.
4 La vie en bord de mer ne coûtait pas cher.
5 Bien que pauvres, ils gardaient leur optimisme.
6 Ils ont quitté la côte au bout d'une semaine.
7 Etienne s'entendait parfaitement avec ses amis.
8 Ses vacances ont eu des suites malheureuses.

B Ecoutez Etienne encore une fois. Le texte suivant est, en quelque sorte, le résumé de ce qu'il dit. A vous d'écrire le résumé entier en remplissant les vides.

A l'____ de dix-sept ans, je suis ____ en vacances ____ mes parents pour la ____ ____ . Avec trois amis, j'ai fait du ____ et nous avons parcouru une distance ____ , en ____ nos sacs et nos tentes. Enfin nous sommes ____ à notre destination, avec beaucoup d'____ mais avec ____ d'argent. Après avoir ____ quelques jours en ____ de mer, nous avons ____ de retenter notre chance ____ parce que les ____ étaient phénoménaux. ____ le temps nous avions l'impression d'être ____ mais ce n'était pas vraiment le cas. Chacun ____ faire la cuisine et la ____ à tour de rôle, et nous nous ____ pour des ____ stupides. Les vacances ont très ____ fini, et ____ une année nous ne nous sommes pas parlé!

10.6

Petite Chérie

Petite Chérie entre dans la cuisine.

– Je vais t'aider à éplucher les légumes, annonce-t-elle en saisissant un couteau.

Cette subite bonne volonté éveille votre méfiance. Vous gardez un silence prudent.

Joséphine gratte sa carotte avec une telle application qu'elle la réduit à l'état de bâtonnet. Elle se décide:

– Pour les vacances de février, tu me laisserais aller faire du ski, seule avec des copains?

Ce moment, vous l'attendez de pied ferme (non, de pied hésitant) depuis la naissance de vos filles: les premières-vacances-entre-copains-loin-des-parents.

– Où? Chez qui? Avec qui? demandez-vous laconiquement.

Petite Chérie attaque une pomme de terre qu'elle transforme en bille.

Tout en vous expliquant son projet de façon subtilement confuse. C'est un truc formidable, ma maman! «On» a la possibilité de louer à Chamonix l'appartement du frère de la belle-soeur d'une amie de Laurence. «On» serait huit et, divisée en huit, la location du deux-pièces reviendrait à rien du tout. Et comment vivrez-vous à huit dans deux pièces? Ben, les sacs de couchage, c'est pas fait pour les chiens. Ensuite, «on» partagerait en huit les frais de nourriture. Prix de revient: rien du tout non plus, surtout si on bouffe beaucoup de pâtes et de riz chinois. Enfin, un copain du frère de la belle-soeur de l'amie connaît un moniteur de ski qui ferait des prix à «on» pour des leçons qui, à huit, reviendraient à … pffffttt, toujours rien du tout. Bref, des vacances vraiment pour moins que rien du tout. Ce qui ne peut que réjouir les parents.

Les parents sont toujours contents, bien sûr, d'envisager des séjours en montagne aussi peu coûteux pour leurs petits chéris. Mais la mère – créature abominablement curieuse – aimerait savoir qui est ce «on» qui accompagnerait Joséphine dans ces vacances merveilleusement bon marché à Chamonix.

B Si vous étiez la mère/le père de Petite Chérie, donneriez-vous votre permission pour ces vacances ou non? Notez votre réponse et vos raisons pour ou contre.

A Après avoir lu le texte, écrivez vos réponses, en français, aux questions suivantes.

1 A votre avis, pourquoi est-ce que Petite Chérie entre dans la cuisine?
2 Est-ce que la mère est vraiment étonnée par la question de sa fille?
3 Pourquoi la mère hésite-t-elle?
4 A votre avis quel est l'argument le plus convaincant de la fille? Pourquoi?
5 Pourquoi, selon Petite Chérie, la nourriture ne coûterait-elle pas cher?
6 Nommez: **a** les actions de Petite Chérie qui ont éveillé les soupçons de sa mère;
   b les propos de Petite Chérie qui troublent sa mère.

C *Travail à deux*

Personne A: Vous êtes un(e) adolescent(e) qui a à peu près le même caractère que Petite Chérie. Proposez des vacances similaires à celles suggérées par elle.
Personne B: Vous êtes sa mère/son père. Réagissez selon votre gré.

10.7

Les vacances, qu'est-ce que ça vous dit?

▼ Test par Cécile Drouin

«Ne gâchez pas vos vacances!»

En vacances, toutes sortes de petits (et parfois de gros) problèmes peuvent surgir. Même la personne la plus apte à profiter de ses vacances peut parfois se laisser aller à déprimer et donc à gâcher totalement ses vacances, alors qu'elle aurait pu l'éviter. Vous, savez-vous affronter les difficultés des vacances?

1. Vous avez emporté, sans l'essayer à nouveau, votre garde-robe de l'été dernier. Or, vous avez pris quelques kilos, ou les avez perdus, et la plupart de vos vêtements ne vous vont plus du tout:
a) Vous prenez la chose avec philosophie. Vous portez les quelques affaires qui vous vont encore et achetez le minimum nécessaire.
b) Vous rachetez toute une garde-robe mais êtes rongé(e) par l'inquiétude car ces achats vous ruinent. Comment allez-vous vous en sortir à la rentrée?
c) Vous passez votre temps à soupirer devant les vitrines sans oser acheter quoi que ce soit (les prix!). En outre, vous n'osez aller nulle part fagoté(e) comme vous l'êtes.

2. Vous êtes en vacances à l'étranger dans un pays où vous alliez autrefois. Vous découvrez que ce pays, si bon marché à l'époque, est devenu très cher:
a) Vous décidez que vous allez vous amuser à découvrir les endroits peu chers et sympathiques car il y en a forcément. Les autochtones peu fortunés vous renseigneront.
b) Vous vous ruinez en n'arrêtant pas de faire vos comptes et en déprimant.
c) Vous vous contentez de sandwiches et de boîtes de sardines tout en enviant ceux qui s'empiffrent dans les bons restaurants.

3. Vous avez loué un appartement «à cinq minutes de la mer», mais on a oublié de vous dire que ce n'était à cinq minutes qu'avec une voiture roulant à 250 km/h et sans aucun trafic:
a) Bah, ce n'est pas si grave! En vacances on a tout son temps et cela vous fera faire de l'exercice.
b) Encore des frais supplémentaires! Au lieu de déjeuner dans l'appartement vous voilà obligé(e) d'aller au restaurant à midi pour rester près de la plage!
c) On vous a roulé! Vous n'arrivez pas à le digérer et en parlez sans cesse!

4. Horreur! A côté de l'endroit que vous avez loué, on construit un immense building et le bruit est infernal:
a) Vous vous arrangez pour être le plus possible ailleurs pendant la journée (excursions, plage, pique-niques, etc.).
b) Vous perdez l'argent de cette location et louez autre chose.
c) Vous vous plaignez sans cesse.

5. Pendant vos vacances vous êtes en pension complète, or, la nourriture se révèle très médiocre:
a) Vous vous offrez de temps en temps un bon repas dans un restaurant agréable.
b) Vous prenez tous vos repas ailleurs, ce qui vous ruine.
c) Vous rouspétez à chaque repas.

6. Vous êtes en séjour quelque part. Votre voiture tombe en panne et ne sera pas réparée avant huit jours:
a) Vous vous débrouillez pour faire ce que vous voulez avec les transports en commun existants et l'aide de personnes que vous rencontrez sur place.
b) Vous louez une voiture mais c'est une catastrophe pour votre budget.
c) Vous ne bougez plus et ne faites rien.

A Faites ce test puis notez votre score et le commentaire sur votre personnalité dans le tableau de réponses que votre professeur vous donnera.

B *A discuter et à décider*

Jusqu'à quel point êtes-vous d'accord avec le verdict sur votre personnalité? Comparez le jugement sur vous avec les autres membres du groupe. Est-ce qu'en général vous êtes d'accord ou pas avec les appréciations offertes?

C Voici quelques phrases tirées du texte. Remplacez les expressions soulignées par celles de la case ci-dessous, en faisant attention à la terminaison et à la forme des mots.

1 La personne la plus <u>apte</u> à profiter …
2 … gâcher <u>totalement</u> ses vacances.
3 Vous <u>prenez</u> la chose d'une façon philosophique.
4 Ces achats vous <u>ruinent</u>.
5 Pour ne pas <u>arrêter</u> de faire des calculs …
6 Ceux qui <u>s'empiffrent</u> dans les bons restaurants …
7 Sans aucun <u>trafic</u> …
8 On vous a <u>roulé</u>.
9 Vous <u>vous plaignez</u> sans cesse.
10 Vous <u>rouspétez</u> à chaque repas.

cesser	tromper
accepter	porter plainte
enclin	manger
complet	grogner
laisser sans le sou	
circulation	

10.8

Amours de vacances

Lisez les histoires et les opinions de ces adolescents français.

VACANCES POUR LE MEILLEUR ET POUR LE PIRE ...

VOS TEMOIGNAGES

Hadrien
«J'ai été pris au piège»

J'ai connu ma petite amie actuelle l'année dernière pendant les vacances d'été, mais j'ai eu beaucoup de chance: elle habitait la même ville que moi! Bien sûr, au début je suis sorti avec elle pour m'amuser ... Je ne pensais pas que ça durerait plus de quinze jours et puis j'ai été pris au piège ... Les vacances terminées, on s'est revus et nos sentiments sont devenus de plus en plus forts, mais le fait qu'on habitait la même ville arrangeait bien les choses. Si elle avait habité à l'autre bout du monde, peut-être qu'à l'heure actuelle, on ne serait plus ensemble ...

Sylvie
«Je me fais bien plus draguer pendant les vacances que pendant l'année scolaire!»

En vacances, tout le monde veut s'éclater, rire, sortir en bande ... C'est sûr qu'à ce moment-là, on n'a pas envie de rester seul dans son coin ... Je me fais bien plus draguer pendant les vacances que pendant l'année scolaire! Mais je sais bien que ce n'est pas sérieux, surtout quand on n'habite pas la même ville ... Sur le moment, on y croit vraiment, on pense que ça peut être un truc important et puis en fait, c'est du vent ...

Jérôme
«Si ça doit durer, ça dure»

Pour moi, les amours de vacances ça n'existe pas ... Il y a l'amour tout court. Si c'est vraiment le coup de foudre, que ce soit en vacances ou pendant l'année scolaire, je ne vois pas ce que ça change. Si ça doit durer, ça dure ... C'est vrai que

pendant les vacances on est plus cool, on prend les choses moins au sérieux, mais je pense qu'on peut tout à fait rencontrer le «vrai grand amour» pendant les vacances. D'ailleurs, mes parents se sont rencontrés pendant les vacances et ça fait vingt ans qu'ils s'adorent ...

Didier
«C'est le seul moment de l'année où on peut vraiment s'éclater!»

Les vacances, c'est surtout les boîtes de nuit, la frime, les conquêtes faciles ... Je ne crois pas que l'on puisse tirer quelque chose de vraiment intéressant de tout ça. Il faut en profiter sans se prendre la tête. C'est le seul moment de l'année où on peut vraiment s'éclater! De toute façon, je ne vois pas quelles promesses on peut se faire quand on habite à des centaines de kilomètres l'un de l'autre et qu'on a des vies complètement différentes ...

Romain
«Pas question de dire «je t'aime»»

Les amours de vacances, moi j'adore! Justement parce qu'on sait très bien que ça ne durera pas ... On peut se laisser complètement aller parce que tout est très superficiel. En été, j'adore collectionner les conquêtes ... Mais pas question de dire «je t'aime» ... J'essaie malgré tout de rester honnête et de ne pas faire souffrir inutilement ...

Aude
«Pas question de m'attacher!»

A chaque fois que je pars en vacances, j'ai toujours peur de tomber amoureuse de quelqu'un qui n'habitera pas la même ville que moi parce que je sais que même si au début on s'écrit, très vite l'un des

deux se lasse ... Je n'ai jamais eu une histoire «sérieuse» avec un garçon que j'avais rencontré en vacances et je ne crois pas que cela puisse être possible. Si un garçon me plaît sur le lieu de mes vacances, je sors avec lui, mais pas question de m'attacher!

Anne
«On peut jouer le jeu ou refuser de le jouer»

Quand je pars en vacances, c'est vraiment pour m'amuser, pour profiter de la vie, pour être complètement insouciante ... Je n'ai pas envie de me prendre la tête avec une histoire compliquée et je crois que tout le monde est pareil. Les amours de vacances, c'est pas sérieux. On peut jouer le jeu ou refuser de le jouer, on a le choix, mais de toute façon, on sait dès le départ que ça ne durera pas ...

Sophie
«Je me suis demandé ce que j'avais pu lui trouver!»

L'année dernière, j'ai rencontré un garçon super en vacances. On a passé ensemble un mois et demi formidable. J'étais vraiment très amoureuse de lui. Il habitait dans une ville proche de la mienne. On s'est beaucoup écrit à la rentrée et puis on s'est revus à Noël et là, je me suis rendu compte que c'était fini. Je me suis même demandé ce que j'avais pu lui trouver! Je l'ai trouvé moins beau physiquement, il ne me plaisait plus du tout ... On était très gênés et je crois qu'il a eu le même sentiment que moi. Je ne l'ai plus jamais revu.

A Qui dit qu'il/elle ...

1 ... a horreur de tomber amoureux/euse de quelqu'un qui n'est pas de
son coin à lui/elle?
2 ... ne fréquente pas tellement les garçons, que pendant les vacances?
3 ... ne croit pas que les vacances changent tellement l'amour?
4 ... a eu de la veine en vacances?
5 ... ne peut pas faire des promesses en vacances?
6 ... traite les amours de vacances comme un jeu?
7 ... a éprouvé une déception en revoyant un amour de vacances?
8 ... ne veut pas dire qu'il/elle aime l'objet de ses passions?

B Nommez toutes les personnes qui disent que/qu'...

1 ... un amour de vacances ne dure pas.
2 ... il faut agir avec prudence.
3 ... les vacances sont l'époque de la détente.

C Relisez ce que disent Hadrien, Sylvie et les autres pour vous aider à rendre en français cette petite histoire de vacances:

*On holiday, everyone goes off in a group. Last year, as I didn't fancy
staying on my own, I actually met someone on holiday and we went out
together. At first it was just for fun and then we were caught in the trap!
He/she was very much in love with me and I with him/her I suppose.*

*But we didn't live in the same town and after the holidays we wrote
each other a few letters. Then I got bored very soon. There were a few
more letters, but we never saw each other again.*

D *A vous maintenant!*

Avec qui, parmi ces jeunes gens, vous entendriez-vous le mieux, si vous
faisiez leur connaissance en vacances? Ecrivez environ 250 mots pour
expliquer votre choix dans le contexte de votre propre opinion sur les
amours de vacances.

10.9

Françoise parle de ses vacances

A Ecoutez Françoise, fille au pair, et trouvez comment elle dit ...

1 Last year I was still at school.
2 When I went on holiday ...
3 ... ready to start again.
4 It took me a while to discover everything.
5 I realised in fact ...
6 Although we're almost neighbours ...
7 There are lots of differences, even so.
8 It wasn't really too difficult.
9 I knew I'd only be there for four months.
10 I really can't wait to see all my family again.

B Ecoutez Françoise encore une fois puis faites le résumé de ce qu'elle dit en une centaine de mots.

Vacances actives

Des tas d'idées pour des vacances musclées

Si l'été est avant tout la saison des loisirs, ça peut être aussi pour ceux et celles qui n'ont pas songé à s'organiser, une période de flou, d'ennui, de cafard. C'est le moment ou jamais de prendre votre proche futur en main et de vous documenter sur tous les stages sportifs et attrayants que vous propose l'UCPA.

Evidemment, si vous faites partie des adeptes de la dispense de gym toute l'année, vous pensez que ces stages ne sont guère faits pour vous. Eh bien, détrompez-vous! De l'apprentissage d'une certaine forme de compétition en passant par les sports de haut niveau jusqu'aux loisirs les plus cool, il suffit de bien choisir en fonction de votre tempérament, de votre forme physique, mais aussi de vos goûts. De la classique marche à la vraie grimpette, de l'équitation au tennis, du tir à l'arc à la danse, tout est permis, tout est possible.

Ne l'oubliez pas, vous allez vivre, non seulement, encadré(e) de moniteurs hautement qualifiés mais aussi avec des jeunes de votre âge avec qui vous allez sympathiser, rivaliser amicalement dans la compétition ou bien former une équipe.

Loin de votre famille, de vos petites habitudes, il vous faudra vous prendre en charge, ne plus vous laisser passivement materner, et ce sera une excellente chose pour vous. Mais avant de faire votre choix, réfléchissez bien et préparez-vous à vivre une grande aventure.

Une grande évasion réfléchie

Vous vous plaigniez assez que vos parents pensent pour vous et organisent vos loisirs. Tout cela est fini si vous vous décidez à vous inscrire à un stage de l'UCPA. A vous de bouger, de respirer mais aussi de gérer votre temps dans la gaîté, la joie mais aussi la responsabilité.

Vous serez étonné(e) de vous révéler ainsi à vous-même, de montrer aux autres le meilleur de vous-même. Car si les professionnels du sport et de l'animation, qui vous guideront dans la franche bonne humeur, feront tout pour rendre votre séjour agréable, n'oubliez pas qu'avant tout la réussite dépend de vous, de votre esprit de groupe, de votre désir réel de tout partager avec copains et copines.

L'égoïsme n'est pas de mise dans ce genre de stage! Mais c'est une aventure que vous n'oublierez pas et qui vous apportera tant de bonheur, que si vous y prenez goût cette année, à coup sûr vous aurez envie de retenter l'expérience, ne serait-ce que pour retrouver les mêmes ami(e)s et pourquoi pas un flirt?

Le rire, le sport, le plaisir, la découverte de régions jusqu'alors inconnues de vous, c'est une chose. Mais n'en oubliez pas pour autant l'essentiel: votre

responsabilité envers vous comme envers les autres. Faites bien attention à la sécurité surtout durant la pratique des sports. Suivez bien les recommandations des moniteurs; ils connaissent leur

métier et s'ils vous imposent certaines contraintes c'est pour votre bien.

Ne négligez pas l'hygiène, car vivre loin de vos parents ne signifie en aucune manière faire une croix sur la douche quotidienne, ou le brossage des dents (et votre charme alors? ...)!

Quant à la bonne humeur, c'est peut-être l'élément le plus important de la réussite de vos vacances. Pas question de faire la comédie pour un oui pour un non, pas plus de jouer les enfants gâté(e)s. Car si, dans la vie en commun, il y a certes quelques contraintes, les émotions et les amitiés que vous vivrez compenseront largement les mini-obligations qui, au bout de quelques jours d'ailleurs, n'en seront plus.

Lorsqu'il s'agira de partir, préparez vos bagages avec soin afin de ne rien oublier. Consultez les brochures qui vous seront remises quant à l'équipement sportif de base. Ne vous chargez pas trop, prenez une ou deux tenues de rechange, des affaires de toilette, du linge de corps et de quoi vous vêtir pour la nuit. Et, un gros pull pour le froid et deux T-shirts pour la chaleur.

Importants, les papiers. Munissez-vous de votre dossier médical, d'une autorisation de soins médicaux en cas de pépin et de **l'autorisation de l'un de vos parents** prouvant qu'ils acceptent votre stage.

A Indiquez pour chaque titre ci-dessous le paragraphe approprié. (Ecrivez les premiers mots du paragraphe en chaque cas.)

1 Faites vos préparatifs avec prudence
2 N'oubliez pas votre documentation!
3 Restez propres!
4 Il faut un sens des responsabilités!
5 C'est une époque où il faut profiter de l'occasion
6 Vous êtes au seuil d'une nouvelle aventure
7 Vous serez entourés de gens de votre tranche d'âge
8 Tout succès dépend de votre attitude
9 Vous trouverez le vrai «vous»!
10 Choisissez selon votre tempérament

B Ecrivez vos réponses aux questions suivantes:

1 Si nous sommes pris au dépourvu, les vacances que pourront-elles devenir?
2 Que faut-il faire pour bien profiter de ses vacances?
3 On nous conseille de faire quoi, avant de choisir nos vacances?
4 Comment échapper à l'influence des parents?
5 Que faut-il faire de son égoïsme?
6 Quelle sorte d'aventure un tel stage représente-t-il?
7 Quand ne faut-il surtout pas oublier la sécurité?
8 Quel rôle la bonne humeur joue-t-elle?
9 Pourquoi ne faut-il pas négliger ses bagages?
10 Pourquoi avoir une autorisation de soins médicaux?

CONSOLIDATION

Revoyez: 10.10

Etudiez:
Verbes réfléchis, p. 143

Reprise: 7.6

Exercez-vous:

Dans l'article il y a bon nombre de verbes réfléchis. Trouvez-en dix exemples et mettez-les à la première et à la deuxième personne du singulier du Présent, du Passé Composé et de l'Imparfait. Le premier exemple est déjà fait pour vous aider.

Exemple:	Présent	Passé Composé	Imparfait
s'organiser:	je m'organise	je me suis organisé(e)	je m'organisais
	tu t'organises	tu t'es organisé(e)	tu t'organisais

CONSOLIDATION

Revoyez: 10.10

Etudiez:
Le Futur, p. 145

Reprise: 1.14, 2.3, 10.4

Exercez-vous:

1 Utilisez les verbes au Futur soulignés dans le texte pour vous aider à exprimer les phrases suivantes en français:
   a I'll need to organise myself.
   b These will be excellent choices for me.
   c You (tu) will be astonished to see me!
   d She's the trainer who will guide me.
   e It's a situation I shan't forget.
   f You (tu) will feel like starting again.
   g The money will not compensate for the time.
   h That difficulty will no longer be there.
   i Look at the form which will be sent to you.

Revoyez: 10.10

Etudiez:
Les Superlatifs, p. 140

Exercez-vous:

1 Utilisez les expressions superlatives soulignées pour exprimer en français:
   a the coolest discos
   b they showed the best of themselves
   c the least important element
   d one of the greatest players.
2 Et maintenant à faire seul(e)!:
   a the worst solution
   b the most difficult parts
   c one of the smallest victims
   d the best opportunity
   e the most intelligent answer
   f one of the youngest candidates.

Enfin je retrouve mes copains ...

Plus j'y pense et plus je me dis que les vacances, c'est pas fait pour nous. C'est vrai, quoi? Combien y a-t-il de lycéens qui s'amusent vraiment pendant l'été? Je suis prête à parier qu'il y en a pas la moitié. La plupart sont comme moi à attendre avec impatience de se retrouver. Les parents me disent toujours qu'ils m'envient mes deux mois et

Et puis sont arrivées les vacances en famille. Les parents sont gentils, mais question distraction ... La première semaine, ils se reposent de leurs onze mois de travail; la deuxième semaine, ils se font bronzer pour rentrer avec des couleurs qu'ils perdront en une semaine, la troisième semaine, ils commencent à sortir, mais alors, c'est pour faire toutes les églises du coin et comme on est allé en Bretagne, cette année, je vous laisse deviner ce que nous nous sommes payé comme calvaires!

Maintenant que me voilà rentrée, il me semble que tout va aller très bien. Je vais pouvoir retrouver mes copains. Je revis

vite. Je suis persuadée que la plupart vont attendre le dernier jour. Ils ne savent pas ce qu'ils ratent!

J'aime par-dessus tout courir les librairies à la recherche de mes livres. Et les cahiers neufs! comme j'aime leur odeur de neuf! C'est toujours une fête quand je vais acheter mes fournitures. J'y mets autant de soin qu'à mes vêtements. Je regrette un peu de ne plus avoir l'âge de prendre un cartable. L'odeur de cuir neuf des sacs bandoulière n'a plus rien à voir avec celle des cartables que l'on porte dans le dos.

«ENFIN JE RETROUVE MES COPAINS»

demi de repos. Je les comprends. Eux, ils ne s'amusent pas pendant l'année et le mois d'août, c'est vraiment autre chose. Mais moi? qu'est-ce que j'ai fait? Au mois de juillet, je me suis morfondue chez ma grand-mère. J'ai fait du vélo. Il n'y avait même pas mes cousins pour passer le temps. Alors, j'aime bien ma grand-mère, mais sortie de ses napperons, de ses conserves et de ses amies qui déblatèrent sur les voisines ... Ah! oui! j'ai rencontré Jean-Marc. Celui-là, il commençait à me plaire sérieusement et pof! plus de Jean-Marc, volatilisé plus personne. Je l'ai eu un peu sec, tout de même! Il est allé dans l'Aveyron avec des copains en me laissant tomber comme une vieille chaussette.

> «Je revis
> vraiment depuis que je suis
> à la maison.
> Les boums
> vont recommencer,
> les sorties
> entre copains,
> le patin à glace ...»

C'était un passionné de canoë-kayak. Alors, entre le canoë et moi, il n'a pas hésité longtemps.

vraiment depuis que je suis à la maison. Les boums vont recommencer, les sorties entre copains, le patin à glace, la piscine et mes disques. J'ai retrouvé ma collection. Jamais la musique ne m'avait tant manqué! C'est fou ce que j'aime le rock, la pop. Je passerais des nuits entières allongée à côté de ma chaîne hi-fi.

> «Je suis bourrée de projets.
> D'abord me faire de l'argent de poche. Je connais le disquaire à côté, il me prendra bien certains après-midi ...

Je suis rentrée bourrée de projets. D'abord me faire de l'argent de poche sans avoir à mendier aux parents. Je connais le disquaire à côté, il me prendra bien certains samedis après-midi pour vendre et classer ses disques, je m'y connais mieux que lui, peut-être. Et le mercredi, je pourrai aussi lui donner un coup de main ... oui mais si je passe tous mes loisirs à travailler, cela n'ira pas loin. Non, le samedi et les soirs où je pourrai, je garderai des enfants. Ce n'est pas bien fatigant, et puis je peux dormir quand les gosses sont assoupis. L'ennui, c'est que mes copains ne rentrent pas bien

Débile? moi? pourquoi? j'aime la classe et les cours où l'on fait des bêtises avec les copains. J'aime l'ambiance de complicité qu'il y a dans un groupe. L'ennui, c'est que d'ici deux ans, j'aurai passé le bac et tout sera perdu. Je suis impatiente de connaître mes nouveaux profs et en même temps inquiète. Si nous allions avoir cette peau de vache de Mme ...? Bah! on ferait face tous ensemble et on lui rendrait la vie tellement impossible qu'elle serait bien obligée de ... mais c'est une autre histoire et il n'est pas du tout assuré qu'on ait cette prof!

Ah oui! vraiment je suis contente que les vacances se terminent. Deux mois et demi, c'est trop long. J'aimerais bien, en revanche, qu'il y ait plus de coupures durant l'année. Des grands week-ends qui permettraient d'aller à la neige, à la mer, à la campagne ou qui laisseraient le temps de redécorer sa chambre, par exemple. Mais je ne suis pas sûre de représenter la majorité des jeunes de mon âge. Qu'importe, on a bien le droit d'avoir ses idées, non? Partir souvent mais pas longtemps, voilà pour moi l'idéal et j'espère bien que plus tard, quand j'aurai un job, je pourrai vivre ainsi ...

Corinne
●

A Finies les vacances de Corinne! Lisez le témoignage qu'elle a donné pour le magazine *OK!* puis copiez et remplissez la grille.

Les points négatifs des vacances	Les avantages de la rentrée

B Il y a souvent plus d'une seule manière de s'exprimer. Pour chacune des phrases suivantes prises dans le témoignage de Corinne, remplacez le(s) mot(s) souligné(s) par un autre ou d'autres qui ont le même sens.

1 je suis <u>prête à parier</u> qu'il n'y a pas la moitié …
2 Le mois d'août, c'est vraiment <u>autre chose</u>.
3 Je me suis <u>morfondue</u>.
4 <u>C'était un passionné de</u> canoë-kayak.
5 toutes les églises <u>du coin</u> …
6 Je suis rentrée <u>bourrée</u> de projets.
7 Le disquaire … me <u>prendra bien</u> certains samedis.
8 Je pourrais aussi <u>lui donner un coup de main</u>.
9 Je peux dormir <u>quand les gosses sont assoupis</u>.
10 je suis <u>persuadée</u> que …

C *Travail à deux*

Si, d'après Corinne, les grandes vacances sont trop longues, elle propose en revanche qu'il y ait plus de coupures durant l'année.

Avec un(e) partenaire, formulez des idées sur la façon dont on pourrait améliorer la situation. Puis, rapportez vos idées au groupe entier.

Et votre prof, qu'est-ce qu'il/elle en pense? Posez-lui des questions là-dessus!

D Ce sera bientôt les vacances – mais pas encore! Ecrivez 250 mots environ sur la proposition: «Les vacances – quel ennui!» Référez-vous, si vous voulez, aux textes que vous avez étudiés dans cette unité.

CONSOLIDATION

 Revoyez: 10.11

Etudiez:
Les Adjectifs, pp. 138–9

 Reprise: 2.5, 5.5

 Exercez-vous:

Voici quelques expressions adjectivales que vous avez rencontrées dans cette unité. Dans chaque cas, mettez la forme appropriée de l'adjectif dans le blanc de l'expression à droite.

1	votre proche futur	des amis très ……
2	la bonne humeur	de …… mots
3	votre désir réel	notre situation ……
4	la douche quotidienne	leur travail ……
5	des soins médicaux	des difficultés ……
6	une amie précieuse	un rapport ……
7	une telle application	de …… problèmes
8	du riz chinois	des repas ……
9	des séjours peu coûteux	des vacances peu ……
10	la première fois	le …… contact
11	l'année dernière	l'an ……
12	à l'heure actuelle	au moment ……
13	quelles promesses	…… résultats
14	tout est superficiel	votre amitié ……

10.12

Et pour terminer ...

A Regardez ces dessins et trouvez parmi la liste la légende qui va avec chaque dessin.

En vacances, l'homme **déteste** .....

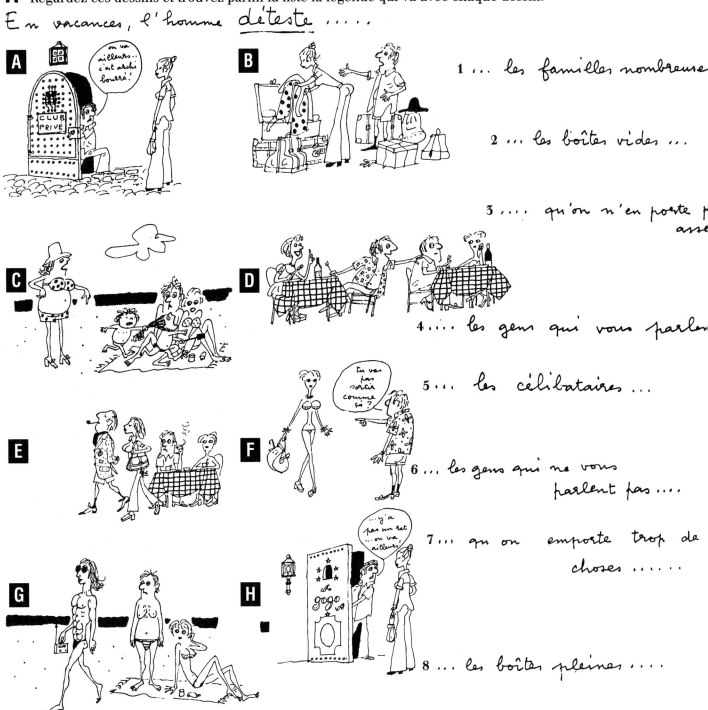

1 ... les familles nombreuses

2 ... les boîtes vides ...

3 .... qu'on n'en porte pas assez

4 .... les gens qui vous parlent

5 ... les célibataires ...

6 ... les gens qui ne vous parlent pas ....

7 ... qu'on emporte trop de choses ......

8 ... les boîtes pleines ....

B Imaginez que vous êtes *ou* la femme *ou* le mari qui figure dans ces dessins. Plus tard, vous vous disputez avec votre femme/mari. En choisissant au moins trois des dessins, racontez en une centaine de mots la dispute qui s'est produite quand vous avez réfléchi aux événements qui y sont décrits.

Grammaire

1 *Les noms*

1.1 *Le genre des noms*

1.1.1

En français il y a deux genres: le **masculin** et le **féminin**. Un nom animé (un nom qui identifie une personne ou un animal) a normalement le genre qui correspond au sexe de la créature ou de l'être humain dont on parle.

un chien (m)   une chienne (f)

un conducteur (m)   une conductrice (f)

A noter:
Un bon nombre de noms d'animaux ont un seul genre.

un papillon, un serpent, une souris, une tortue, une girafe

1.1.2

A part les personnes et la plupart des animaux, le genre d'un nom est sans rapport avec la notion du sexe. Alors, pour un objet concret ou pour une notion abstraite, le genre est essentiellement grammatical et semble même être arbitraire ...

un foulard, mais **une** écharpe (= deux sortes de "*scarf*")

la religion, mais **le** communisme.

1.1.3

Puisque c'est la grammaire qui a déterminé le genre des noms, il y a certaines terminaisons des noms qui sont généralement soit masculines soit féminines, dont principalement ... :

Terminaisons généralement masculines
-(i)er
-et
-t
-eur
-age (2 syllabes+)
-ment (2 syllabes+)

Exemples: fermier, gibier, berger, verger, projet, rejet, chat, contrat, menteur, proviseur, courage, marécage, froment, serment.

Terminaisons généralement feminines
-e
-té
-ée
-ère
-erie
-ette
-ion

Exemples: ferme, marche, bonté, santé, chaussée, cheminée, commère, épicerie, camaraderie, fillette, gestion, station.

Mais, il y a des exceptions à toute règle. Il vaut la peine de répertorier les exceptions que vous rencontrerez sous chaque terminaison. La catégorie qui cause incontestablement le plus de difficultés est la liste des noms qui se terminent en **-e** et qui sont masculins. En voici une courte liste des plus communs.

acte, adverbe, beurre, caractère, casque, centre, cercle, chèque, chiffre, cimetière, cirque, coffre, collège, commerce, compte, conte, contrôle, costume, derrière, dialogue, disque, divorce, domaine, doute, drame, évêque, exemple, fleuve, foie, génie, genre, groupe, incendie, kiosque, lycée, magazine, malaise, manque, masque, massacre, mélange, mensonge, meuble, monde, monopole, musée, nombre, organe, parapluie, pétrole, peuple, pique-nique, pôle, portefeuille, principe, proverbe, refuge, règne, remède, reste, rêve, réverbère, ridicule, risque, rôle, royaume, sable, service, sexe, siècle, signe, silence, singe, songe, squelette, stade, style, symbole, texte, timbre, triomphe, type, ulcère, véhicule, verbe, verre.

1.2 *Le pluriel des noms*

Normalement le pluriel d'un nom est indiqué par la présence d'un **-s** à la fin de ce nom.

des députés, des rats, les raisons, les circonstances

Il existe des modifications et des exceptions à cette règle générale.

1.2.1

Les noms qui se terminent en **-s**, **-x**, **-z** au singulier ne changent pas au pluriel.

> une fois, des fois

Les noms en **-(e)au**, **-eu** ont leur pluriel en **-x**.

> un chapeau, des chapeaux; un feu, des feux

Exceptions: des bleus/landaus/pneus.

Le pluriel des noms en **-al** est **-aux**.

> un cheval, des chevaux

Exceptions: bal, carnaval, chacal, festival, récital, régal.

1.2.2

Il y a quelques noms en **-ail**, **-ou** qui ont leur pluriel en **-aux**, **-oux**.

> bail, baux; soupirail, soupiraux; travail, travaux; vantail, vantaux; vitrail, vitraux
>
> bijou, bijoux; caillou, cailloux; chou, choux; genou, genoux; hibou, hiboux; joujou, joujoux; pou, poux

1.2.3

Il y a des noms communs qui ne s'emploient qu'au pluriel.

> les alentours, les ciseaux, les devoirs (*homework*), les échecs (*chess*), les environs, les fiançailles, les frais, les funérailles, les lunettes, les moeurs, les pourparlers, les vacances

1.2.4

Les noms propres sont employés *ou* au singulier *ou* pluriel: la France, les Alpes, les Etats-Unis. Les noms de famille ne prennent pas d'**s** au pluriel: les Martin.

1.2.5

Les noms composés forment leur pluriel selon la logique. Par exemple:

une pomme de terre	des pommes de terre
une arc-en-ciel	des arcs-en-ciel
une coupe-papier	des coupe-papier
un porte-avions	des porte-avions
un chou-fleur	des choux-fleurs
un coffre-fort	des coffres-forts
un sourd-muet	des sourds-muets

A noter:

Monsieur	Messieurs
Madame	Mesdames
Mademoiselle	Mesdemoiselles

1.3 *Les articles*

1.3.1

L'usage de l'article indéfini
- L'article indéfini s'emploie avec un nom abstrait plus adjectif:

> Avec **une** douleur incroyable.

Une femme d'affaires d'**une** ambition indisputable.	*A businesswoman with definite ambition.*

- L'article indéfini ne s'emploie pas pour indiquer tout court la profession, nationalité, rang ou religion d'une personne:

Elle est infirmière.	*She's a nurse.*
Il est Ecossais.	*He's a Scot.*
Elle était adjointe.	*She was a deputy-mayor.*
Ses parents ne sont pas catholiques.	*Her parents are not Catholics.*

. . . mais . . .

- . . . si la profession, le rang, etc, est accompagné d'un adjectif, l'article indéfini s'emploie:

Elle est une infirmière impeccable.	*She's a first-class nurse.*
Elle était une adjointe expérimentée.	*She was an experienced deputy mayor.*

. . . et . . .

- . . . on omet l'article après les verbes comme créer, devenir, mourir, naître, nommer, rester:

Il est devenu chirurgien.	*He became a surgeon.*
Françoise a été élue députée.	*Françoise was elected an MP.*

1.3.2

L'article partitif: du/de la, etc.
Cet article s'emploie pour désigner une certaine quantité (vague) et correspond à l'anglais "*some*". Il est une combinaison de la particule **de** et de l'article défini.

Il faut **du** temps pour se décontracter.	*You need [some] time to relax.*
Je faisais **de la** gymnastique.	*I used to do [some] gymnastics.*
Lisez **des** bouquins scientifiques.	*Read [some] scientific books.*
Que ce soit **des** chiens ou **des** chats.	*Whether it be [some] cats or dogs.*

A noter:
En anglais on peut souvent omettre le mot "*some*". En français il faut toujours mettre l'article partitif.

L'article partitif reste tout simplement **de** dans deux circonstances:
- si un nom pluriel est précédé d'un adjectif: il a de grands pieds;
- dans une phrase négative: je n'ai plus de pain, il n y pas de filles ici.

Exception: les phrases introduites par «ce n'est pas», «ce n'était pas», «ce ne sera pas», etc (ce n'est pas de la confiture de fraises; ce n'était pas du mieux).

2 *Les pronoms*

2.1 *Les pronoms personnels*

2.1.1

Dans une phrase le rôle du pronom personnel est de prendre la place d'un nom. La forme du pronom dépend de s'il est le sujet de la phrase, ou l'objet (direct ou indirect).

		sujet	objet direct	objet indirect
singulier	1re pers.	je	me	me
	2e pers.	tu	te	te
	3e pers.	il/elle	le/la	lui
pluriel	1re pers.	nous	nous	nous
	2e pers.	vous	vous	vous
	3e pers.	ils/elles	les	leur

Je me présente.	(Je = sujet; me = objet direct)
Je les aime, tous.	(Je = sujet; les = objet direct)
Elle t'envoie une photo.	(Elle = sujet; te = objet indirect)
Je voudrais **leur** parler.	(Je = sujet; leur = objet indirect)
Ça **lui** fera plaisir.	(lui = objet indirect)
Vous me la donnez.	(Vous = sujet; me = objet indirect; la = objet direct)

2.1.2

Les **formes accentuées** des pronoms personnels s'emploient après une préposition et quand on veut insister sur la personne ou la chose dont on parle.

		forme accentuée du pronom
singulier	1re pers.	moi
	2e pers.	toi
	3e pers.	elle, lui
pluriel	1re pers.	nous
	2e pers.	vous
	3e pers.	elles, eux

Je t'envoie une photo **de moi.**	*I'm sending you a photo of me.*
C'était insupportable **pour eux.**	*It was unbearable for them.*
Toi, tu es difficile!	*You are difficult!*

Lui, il était toujours en retard!	*He was always late!*

2.1.3

Le pronom «on».
On, qui est toujours sujet, a deux fonctions.

(a) l'équivalent du pronom anglais *"one"* = *"you"/"someone"*

- **On** désigne les gens en général . . .

On doit manger et boire pour vivre.	*One must eat and drink to live.*
On y est tranquille.	*One/you can be quiet there.*

- *ou bien* une personne indéterminée . . .

On sonne.	*Someone's ringing.*
On vous demande.	*Someone's asking for you.*

- *ou bien* il remplace une forme passive . . .

Ici **on parle** allemand.	*German [is] spoken here.*

(b) un équivalent du pronom «nous»

Quand «on» est synonyme de «nous» dans la langue familière, le **verbe** est à la 3e personne singulier, mais l'**adjectif** ou le participe passé s'accorde comme pour «nous» . . .

On va au cinéma.	*We're going to the cinema.*
On a toujours parl**é** de tout.	*We've always talked about everything.*
On est complices.	*We're in it/do everything together.*

A noter:
Pour l'objet, le pronom «on» change en «vous»; par exemple

Ça **vous** aide à comprendre.	*That helps one/people to understand.*

2.1.4

En et **y** ont deux fonctions.
- pronoms adverbiaux, étant l'équivalent de l'anglais *"from (out of) there/(to) there"*.

J'**en** suis revenu hier!	*I came back from there yesterday.*
Non, elle **en** est sortie.	*She has come out of there.*
J'**y** vais.	*I'm going [to] there.*
Je l'**y** ai rencontrée.	*I met her there.*

- pronoms personnels, représentant un nom précédé de la préposition **de** ou **à**.

Parlons-**en!**	*Let's talk of/about it.* [parler **de**]

J'y pense.   *I'm thinking **about it**.* [penser **à**]

2.1.5

Les pronoms objets se mettent immédiatement avant le verbe (même dans une phrase négative): il la voit, il ne la voit pas.

S'il y a plus d'un pronom objet, ils se placent ainsi avant le verbe:

me				
te	le	lui		
nous	la	leur	y	en
vous	les			
se				

>   Je **m'en** fiche, il **vous** l'a dit, on **les y** a menés.

Une phrase positive à l'impératif est le seul cas d'exception. Les pronoms objets suivent alors le verbe, avec un trait d'union (*hyphen*):

>   Regarde-**la**! Allez-**y**!

Dans de telles phrases à l'impératif, **me** et **te** deviennent **moi** et **toi**, *sauf* s'ils sont suivis de **y** ou d'**en**:

>   Parle-**moi**! Lève-**toi**! Va **t'en**!

S'il y a plusieurs pronoms objets (ce qui est rare) ils suivent le verbe ainsi:

	nous		
le	vous		
la	lui		
les	leur	y	en
	moi (m')		
	toi (t')		

>   Donne-**m'en**!
>   Apporte-**le-nous** ici!

Si la phrase impérative est négative, on revient à la règle générale:

>   Ne **nous** l'apporte pas ici.

2.2 *Les pronoms relatifs: qui/que/où*

2.2.1

Qui est sujet.

Un quatre-pièces **qui** appartient à mes enfants.	*A four-room flat **which** belongs to my children.*
Une boum **qui** s'achèvera très tard.	*A party **that** will finish very late.*
Ecoutez Anne-Sophie **qui** vous parle	*Listen to Anne-Sophie, **who** is talking to you.*

2.2.2

Que est objet direct. Il devient **qu'** avant une voyelle, alors que **qui** n'est jamais raccourci.

C'est un livre **que** vous avez adoré.	*It's a book **that** you adored.*
Pourquoi sortir avec un garçon **qu'**on n'aime pas?	*Why go out with a boy **whom** you don't like?*
Que faites-vous?	***What** are you doing?*

2.2.3

Où indique l'endroit.

La boum **où** je l'ai vu.	*The party **where/at which** I saw him.*

A noter:

Le jour **où** . . .	*The day **when/on which** . . .*
Un jour **que** . . .	*One day **when** . . .*
Le jour **où** tu as accepté mon invitation . . .	*The day **on which** you accepted my invitation. . .*
Un jour **que** je flânais dans les rues . . .	*One day **when** I was wandering round the streets . . .*

2.2.4

Dont est un pronom relatif correspondant à l'anglais "*of which/of whom/whose*".

. . . **dont** le nombre est variable	***of which** the number varies*
un ami **dont** je connaissais déjà la soeur	*. . . **of whom** I already knew the sister = **whose** sister I already knew.*
l'expérience **dont** parle le livre	*the experience **of which** the book is talking = the experience the book is talking about.*

A noter:
Avec **dont** l'ordre est toujours 1 pronom, 2 sujet, 3 verbe.

2.3 *Les pronoms possessifs*

Un pronom possessif s'emploie à la place d'un nom dont on a déjà fait mention. Il change selon
• la personne du possesseur,
• le genre et le nombre de l'objet possédé.
Les équivalents anglais sont "*mine, yours, hers, ours*", etc.

Les pronoms possessifs se forment de la façon suivante:

Possesseur		Objet possédé			
		singulier		pluriel	
		Masculin	Féminin	Masculin	Féminin
singulier	1re pers. 2e pers. 3e pers.	le mien le tien le sien	la mienne la tienne la sienne	les miens les tiens les siens	les miennes les tiennes les siennes
pluriel	1re pers. 2e pers. 3e pers.	le nôtre le vôtre le leur	la nôtre la vôtre la leur	les nôtres les vôtres les leurs	

La petite amie de Jean est plus jolie, mais **la mienne** est plus intelligente.	*John's girlfriend is prettier, but **mine** is more intelligent.*
Quel appartement – **le nôtre** ou **le sien**?	*Which flat – **ours** or **his/hers?***

A noter:

Ces formes composées ont très souvent un deuxième sens qui correspond à l'anglais *"the latter/the former"*.

On choisit Carmen ou Gislène? **Celle-ci** est plus expérimentée.	*The latter is more experienced.*
J'aime lire Stendhal et Camus. **Celui-là** est du 19e siècle.	*The former is from the 19th century.*

2.4 *Les pronoms démonstratifs*

2.4.1

Les pronoms démonstratifs précisent et remplacent des noms dont on a déjà fait mention. Leurs équivalents anglais sont *"this one/that one/these/those/the ones . . ."*.
Ils se forment ainsi:

singulier		pluriel	
Masculin	Féminin	Masculin	Féminin
celui	celle	ceux	celles

Quelle voiture? – **Celle** de Claire.	*Claire's/That of Claire.*
Je préfère **ceux** (les vins) de la Loire.	*I prefer **those** from the Loire.*

2.4.2

Pour une plus grande précision les pronoms démonstratifs se combinent souvent avec **-ci** et **-là** et leurs équivalents anglais seraient *"this one (here)/those (there)"* etc.

Quelle robe vas-tu prendre? – **Celle-ci.**	This one [here].
Qui sont les coupables? – **Ceux-là.**	Those [over] there.

2.5 *Pronoms, adjectifs et adverbes de négation*

A part «ne...pas», il y a toute une série d'expressions de négation qui s'emploient en combinaison avec **ne**:

Pronoms, adjectifs	Adverbes
ne ..... aucun	ne ..... aucunement
ne ..... nul	ne ..... guère
ne ..... personne	ne ..... jamais
ne ..... rien	ne ..... nullement
	ne ..... plus
	ne ..... point
	ne ..... que

Un pronom ou un adjectif négatif peut être sujet ou objet. S'il est sujet, il commence la phrase.

Personne ne sait comment.	*No one knows how.*
Je **n'**ai vu **personne.**	*I saw no one.*

Les adverbes négatifs prennent la place de **ne . . . pas** dans la phrase:

Elle **ne** sortait **plus** seule.	*She no longer went out alone.*
Elles **n'**ont **plus** de problèmes.	*They have no more problems.*
Il **n'**était **point** d'accord.	*He did not agree at all.*

3 *Les adjectifs*

3.1 *L'accord des adjectifs*

Un adjectif donne de l'information sur un nom.

En français un adjectif s'accorde en genre et en nombre avec le nom auquel il se rapporte. Il prend normalement la terminaison -e au féminin et -s au pluriel:

un grand plaisir	une grande soirée
son meilleur film	les meilleures chances

3.2 *Les terminaisons des adjectifs*

3.2.1

Les adjectifs **beau/nouveau/vieux** se terminent en -el/-eil avant un nom masculin qui commence par une voyelle ou par un **h** muet:

un be**l** ami
le nouve**l** an
un vie**il** ennemi

Ces adjectifs forment leur pluriel masculin en -**x**.

de beau**x** amis
les nouveau**x** livres
de vieu**x** amis

3.2.2

Les adjectifs qui se terminent en -**al** au singulier masculin forment leur pluriel en -**aux**:

un devoir famili**al**	des devoirs famili**aux**
un ordre génér**al**	des ordres génér**aux**

3.2.3

Il y a certaines terminaisons masculines qui se modifient dans la forme féminine.

- Les adjectifs **beau, nouveau, fou, mou, vieux** deviennent au féminin **belle, nouvelle, folle, molle, vieille.**

- Les adjectifs en -**er** ont leur féminin en -**ère**: cher, ch**ère**

- Les adjectifs en -**f** ont leur féminin en -**ve**: neu**f**, neu**ve**

- Les adjectifs en -**s** ont leur féminin en -**se**, sauf bas, épais, gras, gros, las qui doublent l's: gris, gri**se**
bas, ba**sse**

- Les adjectifs en -**x** ont leur féminin en -**se**, sauf fausse, rousse, douce: heureu**x**, heureu**se**

- Les adjectifs en -**el, -eil, -en, -on** doublent la consonne finale au féminin:
cruel, crue**lle**
pareil, parei**lle**
ancien, ancie**nne**
bon, bo**nne**

- Les adjectifs en -**et** doublent la consonne finale au féminin, sauf complet, concret, discret, inquiet, secret qui se terminent en -**ète**:
coque**t**, coque**tte**
complet, compl**ète**

- Les adjectifs en -**ot** ont leur féminin en -**ote**, sauf boulot, pâlot, sot, vieillot qui doublent le **t**:
idiot, idi**ote**
pâlot, pâl**otte**

- Les adjectifs en -**c** ont leur féminin en -**che** ou en -**que**:
fran**c**, fran**che**
public, publi**que**

- Certains adjectifs forment leur féminin à l'aide d'un suffixe spécial:
-**euse** (la plupart des adjectifs en -**eur**)
-**trice** (beaucoup d'adjectifs en -**teur**):
ment**eur**, ment**euse**
indica**teur**, indica**trice**

- Un certain nombre d'adjectifs au féminin présentent des particularités à apprendre:
long, longue
frais, fraîche
favori, favorite
malin, maligne

3.2.4

Les adjectifs en -**s** ne changent pas au masculin pluriel:

un chapeau gris	des chapeaux gris

Les adjectifs en -**e** ne changent pas au féminin singulier:

un jeune homme	une jeune femme

3.3 *La place des adjectifs*

3.3.1

Vous venez de lire quelques exemples où l'adjectif se place **avant** le nom, mais, en français il se place normalement **après** le nom:

l'amour excessif
leurs plats favoris
une destination précise
mes origines italiennes

3.3.2

Il y a un nombre limité d'adjectifs qu'on utilise souvent qui se placent d'ordinaire **avant** le nom. Le plus souvent ces adjectifs sont très courts avec un maximum de deux syllabes. Les exemples les plus communs sont:

beau	joli	sot
bon	long	vaste
grand	mauvais	vieux
gros	meilleur	vilain
haut	moindre	
jeune	petit	

> un long séjour
> un vaste terrain
> mes meilleurs amis
> une jeune employée
> la meilleure solution
> les moindres problèmes

3.3.3

Certains adjectifs peuvent se placer **avant ou après** le nom. Ils changent de sens selon leur position. Les plus communs sont expliqués ci-dessous.

un ancien élève	*a former pupil*
un batiment ancienne	*an ancient building*
un brave homme	*a good chap*
un soldat brave	*a brave/courageous soldier*
un certain nombre	*a certain (unspecific) number*
un succès certain	*a definite success*
ma chère amie	*my dear friend*
un cadeau cher	*an expensive present*
la dernière fois	*the last (final) time*
l'année dernière	*last (the previous) year*
de grands artistes	*great artists*
des maisons grandes	*tall houses*
une haute idée	*a noble (elevated) idea*
une tour haute	*a high (tall) tower*
un honnête homme	*a decent man*
une opinion honnête	*an honest opinion*
la même idée	*the same idea*
l'idée même!	*the very idea!*
le pauvre chat	*the poor cat*
une famille pauvre	*a poor family*
ma propre invention	*my own invention*
une assiette propre	*a clean plate*
de pure fantaisie	*pure (sheer) fantasy*
de la neige pure	*pure snow*
mon unique espoir	*my only (sole) hope*
je suis fils unique	*I'm an only son/child*

3.4 *Adjectifs interrogatifs: quel(s)/quelle(s)*

Ces adjectifs interrogatifs et exclamatifs s'accordent en genre et en nombre avec leur nom et se forment ainsi:

	masculin	féminin
singulier	quel	quelle
pluriel	quels	quelles

Quelle a été ta réaction?	*What was your reaction?*
Quels sont tes passetemps?	*What are your pastimes?*
Quelles idées a-t-il énoncées?	*What ideas did he express?*
Quel toupet!	*What a cheek!*

3.5 *Déterminants démonstratifs: ce cet, cette, ces*

Ces adjectifs ont une fonction démonstrative, étant les équivalents de l'anglais "*this/that/these/those*".

Ils s'accordent en genre et en nombre avec les noms qu'ils déterminent.

Les formes du déterminant démonstratif:

	masculin	féminin
singulier	ce/cet	cette
pluriel	ces	ces

A noter:
Devant un nom masculin qui commence par une voyelle ou par un **h** muet, **cet** s'emploie au lieu de **ce**.

Je n'aime pas **ce** genre de film.	*I don't like **this/that** kind of film.*
J'étais intéressé par **cet** instrument.	*I was interested in **this** instrument.*
En **cette** fin de matinée.	*At **this** end of the morning.*
Ces démonstrations impulsives.	***These** impulsive demonstrations.*

3.6 *Tout/toute/tous/toutes*

L'adjectif **tout** s'accorde en genre et en nombre avec le nom qu'il décrit et équivaut à l'anglais "*all/every*".

On peut **tout** lire, voir **tous** les films, participer à **toutes** les conversations.	*One can read **everything**, see **all** the films, take part in **all** the conversations.*
Toute ma vie	*All my life*
Tous les membres de la famille	*All members/every member of the family*
Tous les jours comme ça	*Every day like that*

A noter:

Tout a souvent un sens adverbial, correspondant à l'anglais "*completely/quite/totally*". Lorsque **tout** s'emploie de cette façon, il n'y a pas d'accord.

Elle a parlé **tout** gentiment.	*She spoke **quite** kindly.*
Ils ont parlé **tout** honnêtement.	*They spoke **totally** honestly.*

3.7 *Les déterminants possessifs: mon, ma, mes, etc.*

Un déterminant possessif marque le possesseur, s'accordant en **genre** et en **nombre** avec le nom qu'il détermine et en **personne** avec le **possesseur**. Les formes du déterminant possessif sont . . .

1re pers. sing. (je)	mon	ma	mes
2e pers. sing. (tu)	ton	ta	tes
3e pers. sing. (il/elle)	son	sa	ses
1e pers. pl. (nous)	notre	notre	nos
2e pers. pl. (vous)	votre	votre	vos
3e pers. pl. (ils/elles)	leur	leur	leurs

mon prof d'anglais	*my English teacher*
ma soeur	*my sister*
mes camarades	*my schoolfriends*
ses défauts	*her/his/its faults*
vos parents	*your parents*
notre nouvelle rubrique	*our new column*
leur émission théâtrale	*their theatre broadcast*

A noter:

Devant un nom féminin qui commence par une voyelle ou un **h** muet, **mon, ton, son** s'emploient au lieu de **ma, ta, sa**.

mon enfance	*my childhood*
ton épreuve	*your exam*
son absence	*her absence*

3.8 *Les comparatifs*

Il y a trois types de comparatif . . .

- le comparatif d'infériorité:

Il est **moins** intelligent (**que** Nadine).	*He is **less** intelligent (**than** Nadine).*

- le comparatif d'égalité:

Nous avons une équipe **aussi** efficace (**que** l'autre).	*We have **as** efficient a team (**as** the other).*

- le comparatif de supériorité:

C'est une solution **plus** acceptable (**que** leur suggestion).	*It's a **more** acceptable solution (**than** their suggestion).*

Alors, pour exprimer un comparatif, on n'a qu'à placer **moins/aussi/plus** avant l'adjectif qu'on veut modifier, et **que** avant le nom avec lequel on fait la comparaison.

3.9 *Les superlatifs*

Pour rendre le superlatif, on met l'article défini (**le/la/l'/les**) ou un déterminant possessif (**mon/ma/mes** etc) avant **plus** ou **moins**:

C'était **le/son moins** grand succès.	*It was **the/his least** great success.*
Les circonstances **les plus** difficiles.	*The **most** difficult circumstances.*

A noter:

Bon et **mauvais** (comme en anglais) ont un comparatif et un superlatif particuliers:

	comparatif	superlatif
bon	meilleur	le/la/les meilleur(e)(s)
mauvais	pire	le/la/les pire(s)

Elle était **une meilleure** collègue.	*She was **a better** colleague.*
Nous nous trouvons dans **les pires** difficultés.	*We find ourselves in **the worst** of difficulties.*

4 *Les adverbes*

Un adverbe vous dit *comment* l'action se fait.
> Parlez **lentement** s'il vous plaît!
> Elle a répondu **franchement**.
> Il habitait **toujours** là.

4.1 *Les catégories d'adverbe*

En général les adverbes se distinguent selon les catégories suivantes:

manière	lieu	temps	cause
facilement	là	rarement	puisque
ainsi	partout	régulièrement	pourquoi

4.2 *Phrases adverbiales*

4.2.1

En français on utilise souvent un nom ou un nom + adjectif pour éviter une forme adverbiale:

nom	nom + adjectif
avec condescendance	d'un air déçu
sans patience	d'une façon admirable

4.2.2

En français on évite un excès d'adverbes qui tendent à alourdir la phrase. Au lieu de dire:

incroyablement stupidement	*incredibly stupidly*

on dirait plutôt:

avec une stupidité incroyable	*with incredible stupidity*

4.3 *La place de l'adverbe*

4.3.1

L'adverbe se place normalement **après** le verbe (ou l'auxiliaire du verbe) qu'il modifie.

Elle atteignait **graduellement** son but.	*She was gradually achieving her aim.*
Elle a parlé **honnêtement** de sa difficulté.	*She talked honestly about her difficulty.*
Il avait **complètement** négligé de le faire.	*He had completely omitted to do it.*

4.3.2

Quand un adverbe modifie un adjectif ou un autre adverbe, il se place normalement avant cet adjectif/adverbe:

Une décision **totalement** illogique	*A totally illogical decision*
Un ami **toujours** fidèle	*An ever-faithful friend*

4.4 *Les comparatifs et les superlatifs*

4.4.1

Comme les adjectifs, les adverbes peuvent avoir des formes . . .

* de comparatif:
  plus correctement
  aussi correctement
  moins honnêtement

* de superlatif:
  le plus correctement
  le moins honnêtement

4.4.2

Puisque l'adverbe n'est pas adjectival, le mot **le** du superlatif ne change jamais pour un sujet féminin ou pluriel.
> Elle chantait **le plus** doucement qui soit.
> Ils travaillaient **le plus** dur que possible.

4.5 *Plus que/plus de; moins que/moins de*

4.5.1

Plus que/moins que
Pour exprimer les idées "*more than/less than*" le français utilise **plus *que*/moins *que***.

Elle est **plus** intelligente ***que*** son ami.	*She is **more** intelligent **than** her friend.*
Peut-être **moins** souvent ***que*** toi.	*Perhaps **less** often **than** you.*

4.5.2

Plus de/moins de
Avec un nombre, on emploie **plus *de*/moins *de***

Ils ont **moins *de*** quinze joueurs.	*They've **fewer than** fifteen players.*
Il y avait **plus *d'***une centaine d'élèves.	*There were **more than** a hundred or so pupils.*

5 *Les verbes*

5.1 *L'indicatif présent*

5.1.1

La grande majorité des verbes appartient à trois groupes qui vous seront probablement très familiers. Les verbes des trois groupes utilisent toujours les mêmes terminaisons:

AIMER (1er groupe)		FINIR (2e groupe)		PARTIR (3e groupe)	
j'	aime	je	finis	je	pars
tu	aimes	tu	finis	tu	pars
il, elle	} aime	il, elle	} finit	il, elle	} part
nous	aimons	nous	finissons	nous	partons
vous	aimez	vous	finissez	vous	partez
ils, elles	} aiment	ils, elles	} finissent	ils, elles	} partent

5.1.2

Plus de 90% des verbes que vous allez utiliser sont parfaitement réguliers. Il en reste à peu près 8% qui sont irréguliers à l'indicatif présent. Pour vous aider, nous avons répertorié ces verbes dans le tableau aux pages 151- 6.

5.1.3

Lorsqu'une action commencée dans le passé dure encore, on emploie le présent:

J'étudie le français **depuis cinq ans**.   *I've been studying French for five years.*

5.1.4

Le présent de narration
Si on veut communiquer la nature dramatique d'un événement passé qu'on raconte (surtout dans la presse ou dans la conversation), on peut utiliser le présent au lieu du passé, pour rendre l'action plus vivante:

Je **me promène** dans la rue, je **fais** un peu de lèche-vitrine, quand il m'**aborde**, demande de l'argent et me **menace**!   *I was walking along the street doing a bit of window-shopping, when he came up to me, demanded money and threatened me!*

5.2 *L'impératif*

5.2.1

On utilise **l'impératif** principalement pour exprimer:

- un ordre: Tais-toi!
- une défense: N'insistez pas!
- une exhortation: Essayons une dernière fois!
- une prière: Ne me laisse pas seul!
- un souhait: Soyez les bienvenus!

5.2.2

En principe, l'impératif, qui n'existe qu'au temps présent, utilise le présent du verbe, sans faire mention du sujet.

	AIMER 1er groupe	FINIR 2e groupe	PARTIR 3e groupe
2e pers. sing.	aime	finis	pars
1re pers. plur.	aimons	finissons	partons
2e pers. plur.	aimez	finissez	partez

[tu] sors de la cave!
[nous] ne restons pas ici!
[vous] mangez moins!

A noter:
Les verbes du 1er Groupe (= -er) perdent l'**-s** dans la deuxième personne au singulier. Cela inclut même le verbe «aller».

Range la chambre!
Parle-lui plus gentiment!
Va au lit!

5.2.3

Avoir, être et **savoir** ont une forme spéciale de l'Impératif.

	AVOIR	ETRE	SAVOIR
2e pers. sing.	aie	sois	sache
1re pers. plur.	ayons	soyons	sachons
2e pers. plur.	ayez	soyez	sachez

Aie patience!
Ne soyons pas bêtes!
Sachez la vérité!

A noter:
Aller a une forme spéciale de la 2e personne au singulier, quand elle est suivie d'**y**: vas-y!

5.3 *Les verbes réfléchis*

5.3.1

Un **verbe réfléchi** s'emploie pour indiquer que la personne/animal/chose qui fait une action la subit en même temps:

Vous **vous** opposez sans cesse.

Ils veulent **se** sentir libres.

5.3.2

Le verbe est accompagné d'un **pronom réfléchi** de la même personne que le sujet du verbe.

je	**me**	rappelle
tu	**te**	rappelles
il/elle/on	**se**	rappelle
nous	**nous**	rappelons
vous	**vous**	rappelez
ils/elles	**se**	rappellent

5.3.3

L'action est à la voix réfléchie ...

- quand le sujet subit l'action qu'il réalise:
    Je **me** rase à sept heures et demie.

- quand l'action est réciproque:
    Vous **vous** opposez sans cesse.

- pour exprimer un sens passif:
    Le vin blanc **se** boit frais.

- avec certains verbes de nature pronominale:
    Tu **te** précipites sur ton flirt.

5.4 *Le passé composé*

5.4.1

Le **passé composé** s'emploie pour exprimer les actions passées, dont on peut voir le début ou la fin. Ces actions sont souvent successives.

Je me suis levé, j'ai mis mes vêtements, j'ai pris un petit café. Puis, je suis allé au travail.

5.4.2

Le passé composé correspond au *temps parfait* en anglais. On le forme d'une façon similaire à la forme du temps anglais qui utilise l'auxiliaire «*have*» (*I have danced, she has finished*).

5.4.3

Dans la majorité des cas, le passé composé est formé du présent de l'auxiliaire **avoir** suivi du **participe passé** du verbe.

DANSER 1er groupe		FINIR 2e groupe	
j'ai	dansé	j'ai	fini
tu as	dansé	tu as	fini
il/elle/on a	dansé	il/elle/on a	fini
nous avons	dansé	nous avons	fini
vous avez	dansé	vous avez	fini
ils/elles ont	dansé	ils/elles ont	fini

VENDRE 3e groupe	
j'ai	vendu
tu as	vendu
il/elle/on a	vendu
nous avons	vendu
vous avez	vendu
ils/elles ont	vendu

5.4.4

Certains verbes intransitifs utilisent l'auxiliaire **être** au passé composé. Ils sont:

aller, venir, monter, descendre, entrer, sortir, rester, partir, monter, descendre, tomber, naître et mourir plus leurs combinés, dont revenir et rentrer sont les plus familiers.

A noter:

Tous les **verbes réfléchis** utilisent l'auxiliaire **être**.

5.4.5

Le participe passé d'un verbe conjugué avec l'auxiliaire **être** s'accorde en genre et en nombre avec le sujet.

je suis	allé(e)
tu es	venu(e)
elle est	montée
il est	descendu
on est	entré(e)(s)
nous sommes	sorti(e)s
vous êtes	resté(e)(s)
elles sont	parties
ils sont	montés

Donc le participe passé d'un verbe réfléchi s'accorde presque toujours avec le sujet

Elles se sont **levées.**

5.4.6

Les participes passés s'emploient souvent comme des adjectifs. Ces adjectifs participiaux doivent s'accorder avec leur sujet, de la même façon que tout autre adjectif.

> un homme respecté
> les pays développés
> deux personnes bien connues

5.4.7

Certains participes passés s'emploient comme des noms. Ces **noms participiaux** se forment au masculin ou au feminin, au singulier ou au pluriel, selon le genre et le nombre du sujet.

> un(e) employé(e)
> les nouveaux arrivés

5.4.8

Le participe passé d'un verbe formé avec **avoir** ne s'accorde jamais avec le sujet:

> Elles ont été là.

Par contre, il s'accorde en genre et en nombre avec un complément d'**objet direct** qui le **précède**:

> Quant à Sylvie, ses parents l'ont **gâtée**.
> Des **livres** que vous avez adoré**s**.

5.5 *L'imparfait*

5.5.1

L'**imparfait** diffère du passé composé (5.4) et du passé simple (5.8).
Il est le temps de . . .

- la description au passé:
  Il était moins gras à l'époque.

- des actions interrompues:
  Je me maquillais quand il a téléphoné.

- de la répétition au passé:
  Tous les soirs je devais couper du bois.

- de l'habitude au passé:
  Je faisais de la gymnastique.
  C'était l'époque où j'adorais sortir.

5.5.2

Quand l'imparfait s'emploie, on ne voit ni le début ni la fin de l'action, ou de la série d'actions. Comparez:

> Le Premier Ministre Major gouvernait pendant la guerre du Golfe. Le Premier Ministre Thatcher a gouverné onze ans.

Dans la première phrase le verbe est à l'imparfait puisque l'action de gouverner était en train de se dérouler; elle n'était pas complétée. Dans la deuxième, on parle d'une action complétée.

5.5.3

L'imparfait est facile à former. A la seule exception du verbe **être**, le radical de l'imparfait correspond à celui de la 1re personne du pluriel du temps présent:

	DANSER 1er groupe	FINIR 2e groupe	VENDRE 3e groupe
je	dans**ais**	finiss**ais**	vend**ais**
tu	dans**ais**	finiss**ais**	vend**ais**
il/elle/on	dans**ait**	finiss**ait**	vend**ait**
nous	dans**ions**	finiss**ions**	vend**ions**
vous	dans**iez**	finiss**iez**	vend**iez**
ils/elles	dans**aient**	finiss**aient**	vend**aient**

	AVOIR	ÊTRE
j'	avais	étais
tu	avais	étais
il/elle/on	avait	était
nous	avions	étions
vous	aviez	étiez
ils/elles	avaient	étaient

A noter:

- Les verbes en **-cer** prennent une **cédille** sous le **c** devant **a**:
  Le travail commen**ç**ait à huit heures.

- Les verbes en **-ger** prennent un **e** après le **g** devant **a**:
  Dans le temps je **mangeais** trop de viande rouge.

5.6 *Le plus-que-parfait*

5.6.1

Le **plus-que-parfait** communique une action passée qui est elle-même antérieure à une autre action passée, c'est-à-dire, plus parfait que le parfait.

> Céline a aperçu l'agent que nous **avions rencontré** devant le café. — *Céline spotted the policeman, whom we **had met** in front of the café.*
> J'ai compris que tu **étais montée** là-haut. — *I realised that you **had gone** up there.*

5.6.2

Ce temps se forme avec l'**imparfait de l'auxiliaire avoir/être** + le **participe passé** du verbe:

auxiliaire = avoir

j'	avais	rencontré
tu	avais	rencontré
il/elle/on	avait	rencontré
nous	avions	rencontré
vous	aviez	rencontré
ils/elles	avaient	rencontré

auxiliaire = être

j'	étais	monté(e)
tu	étais	monté(e)
il/elle/on	était	monté(e)
nous	étions	monté(e)s
vous	étiez	monté(e)(s)
ils/elles	étaient	monté(e)s

5.7 *Le futur*

5.7.1

Le **futur** indique le temps à venir. En français ce temps se compose d'une façon relativement facile. Avec les verbes du 1er et du 2e groupes, les terminaisons du verbe **avoir** au temps présent s'attachent à l'**infinitif** du verbe.

je	parlerai	finirai
tu	parleras	finiras
il/elle/on	parlera	finira
nous	parlerons	finirons
vous	parlerez	finirez
ils/elles	parleront	finiront

A noter:
Aux 1ère et 2e personnes du pluriel, les terminaisons sont réduites à **-ons** et **-ez**.

Le temps se forme de la même façon pour les verbes du 3e groupe, sauf que l'on enlève l'**e** de l'infinitif, avant d'ajouter les terminaisons.

je	vend**rai**
tu	vend**ras**
il/elle/on	vend**ra**
nous	vend**rons**
vous	vend**rez**
ils/elles	vend**ront**

S'il est difficile, je contacterai la police.
L'équipe finira par gagner le championnat.
Ils lui rendront l'argent prêté.

5.7.2

Il y a un certain nombre de verbes très communs dont le radical est irrégulier au futur. Les terminaisons sont les mêmes que pour les verbes réguliers.

Voici une liste des verbes principaux qui sont irréguliers au futur, avec quelques exemples de l'usage.

j'aurai	*I shall/will have*
j'irai	*I shall/will go*
je serai	*I shall/will be*
j'enverrai	*I shall/will send*
je ferai	*I shall/will do/make*
il faudra	*it will be necessary*
il pleuvra	*it will rain*
je saurai	*I shall know*
je tiendrai	*I shall hold*
il vaudra	*it will be worth*
je viendrai	*I shall come*
je verrai	*I shall see*
je voudrai	*I shall want/like*

Il y en a beaucoup d'autres que vous pouvez vérifier dans le tableau des verbes (pp. 151-6).

A noter:
Si les adverbes **quand** et **lorsque** ont un sens futur, on utilise le futur:

. . . quand l'un ou l'autre **paiera**	. . . *when one or the other **pays***
Je viendrai lorsque tu **décideras**.	*I shall come when you decide.*

Comparez:

Quand je paie les billets, il me dévisage.	*When(ever) I pay for the tickets, he stares at me.*

Ici le verbe est au présent puisqu'il n'y a pas de sens futur.

5.8 *Le passé simple*

5.8.1

Le **passé simple** (ou **prétérit**) est l'équivalent littéraire du **passé composé** et il s'emploie uniquement dans la langue écrite. Il est relativement rare dans l'écrit journalistique, et il s'emploie surtout dans les romans.

5.8.2

Les verbes des trois groupes forment leur passé simple sur le modèle suivant:

	PARLER 1er groupe	REMPLIR 2e groupe	BOIRE 3e groupe
je	parlai	remplis	bus
tu	parlas	remplis	bus
il/elle/on	parla	remplit	but
nous	parlâmes	remplîmes	bûmes
vous	parlâtes	remplîtes	bûtes
ils/elles	parlèrent	remplirent	burent

A noter:

Les verbes du 3e groupe forment leur **passé simple** soit avec **-us** soit avec **-is**. Souvent, si le participe passé du verbe se termine en -u, le verbe aura son **passé simple** en -us.

j'ai aperçu:	j'aperçus
j'ai connu:	je connus

Pour les exceptions, consultez le tableau des conjugaisons (pp. 151-6).

5.8.3

Avoir et **être** forment leur passé simple ainsi:

AVOIR		ÊTRE	
j'	eus	je	fus
tu	eus	tu	fus
il/elle/on	eut	il/elle/on	fut
nous	eûmes	nous	fûmes
vous	eûtes	vous	fûtes
ils/elles	eurent	ils/elles	furent

5.8.4

Tenir, venir et leurs composés forment leur passé simple ainsi:

TENIR		VENIR	
je	tins	je	vins
tu	tins	tu	vins
il/elle/on	tint	il/elle/on	vint
nous	tînmes	nous	vînmes
vous	tîntes	vous	vîntes
ils/elles	tinrent	ils/elles	vinrent

5.9 *Le conditionnel*

5.9.1.

Le conditionnel = le futur du passé. Comparez ces deux phrases:

Si vous **continuez** à boire, vous **serez** dans un drôle d'état.	*If you continue drinking, you will be in a real state.*
Si vous **continuiez** à boire, vous **seriez** dans un drôle d'état.	*If you continued drinking, you would be in a real state.*

Dans la première phrase les verbes sont au **présent** et au **futur**. Dans la deuxième, ils sont à l'**imparfait** et au **conditionnel**. Quand on décrit un événement au passé, le futur est remplacé par le conditionnel, pour rendre l'idée du futur dans le passé.

5.9.2

Le présent du conditionnel se forme sur **le radical du futur** auquel on ajoute **les terminaisons de l'imparfait**.

AIMER 1er groupe	FINIR 2e groupe	PARTIR 3e groupe
j'aimerais	je finirais	je partirais
tu aimerais	tu finirais	tu partirais
il/elle aimerait	il/elle finirait	il/elle partirait
nous aimerions	nous finirions	nous partirions
vous aimeriez	vous finiriez	vous partiriez
ils/elles aimeraient	ils/elles finiraient	ils/elles partiraient

AVOIR	ÊTRE
j'aurais	je serais
tu aurais	tu serais
il/elle/on aurait	il/elle/on serait
nous aurions	nous serions
vous auriez	vous seriez
ils/elles auraient	ils/elles seraient

Me **laisserais-tu** partir seule?	*Would you let me go off alone?*
Tu **aurais** de petites chances.	*You might have a chance.*
Ça **pourrait** finir.	*That might/could finish.*
Ils **pourraient** se demander pourquoi.	*They might wonder why.*

5.9.3

Le conditionnel s'emploie aussi lorsqu'on veut montrer que les faits sont rapportés mais pas prouvés. Cela se rend en anglais par une phrase qualifiante, e.g. *"it was said that . . .", "apparently . . ."*.

| Il y aurait une foule de 12.000. | *There was said to be a crowd of 12,000.* |
| Sa femme ne saurait rien de tout ça. | *His wife apparently knows nothing about all that.* |

5.10 *Le conditionnel passé (= le conditionnel parfait)*

Le conditionnel passé équivaut à l'anglais *"should have/would have"*. Il est formé du conditionnel présent de l'auxiliaire **avoir** ou **être**, suivi du participe passé du verbe.

Elle aurait voulu venir.	*She would have wanted to come.*
Autrement, je serais rentré.	*Otherwise, I should have come back.*
Encore deux minutes et les victimes s'en seraient sauvées.	*Two more minutes and the victims would have escaped.*
Le responsable aurait dû savoir.	*The person in charge would have known.*

5.11 *Le subjonctif*

5.11.1

Tandis que l'indicatif exprime les faits réels, le subjonctif communique certains faits qui sont seulement envisagés par l'esprit, c'est-à-dire nos désirs, souhaits, craintes, regrets. Comparez, par exemple ces deux phrases:

| Je sais qu'il reviendra. | *I know he'll come back.* |
| Je crains qu'il ne revienne. | *I'm afraid he'll come back/he may come back.* |

5.11.2

Normalement, pour former le présent du subjonctif, on utilise **le radical de la troisième personne pluriel au présent de l'indicatif** plus les terminaisons **-e, -es, -e, -ions, -iez, ent**.

AIMER 1er groupe	FINIR 2e groupe	PARTIR 3e groupe
j'aime	je finisse	je parte
tu aimes	tu finisses	tu partes
il/elle/on aime	il/elle/on finisse	il/elle/on parte
nous aimions	nous finissions	nous partions
vous aimiez	vous finissiez	vous partiez
ils/elles aiment	ils/elles finissent	ils/elles partent

... mais ...

AVOIR	ETRE
j'aie	je sois
tu aies	tu sois
il/elle/on ait	il/elle/on soit
nous ayons	nous soyons
vous ayez	vous soyez
ils/elles aient	ils/elles soient

5.11.3

On utilise le subjonctif après:

- **il faut** . . . ou un autre ordre + **que** . . .

| Il **faut que vous alliez** à la banque. | *You **have to go** to the bank./It's essential that you go to the bank.* |
| Vérifie que tout soit réglé. | *See that everything's been dealt with.* |

- **une émotion + que** . . ., dont les expressions les plus fréquentes sont:
  désirer que, vouloir que, souhaiter que, aimer mieux que, s'étonner que, regretter que, préférer que
  être content/curieux/désolé/fâché/heureux/honteux/ravi que

Je m'étonne qu'elle soit venue.	*I'm astonished that she came.*
Elle est contente que tu réussisses.	*She's pleased you are succeeding.*
Il préfère qu'elle parte.	*He prefers her to leave.*

- les expressions suivantes:
  bien que
  quoique
  avant que
  pourvu que
  jusqu'à ce que
  à condition que
  à moins que (+ ne)
  afin que
  pour que
  sans que
  supposé que
  que . . . que . . .
  non que

Pour que tu saches la vérité . . .	*So that you (may) know the truth . . .*
Pourvu qu'il fasse le nécessaire . . .	*Provided he does what's necessary . . .*
Bien qu'il réagisse comme ça . . .	*Although he reacts/may react like that . . .*

5.12 *La forme passive du verbe*

5.12.1

Regardez ces deux phrases:

Une 205 Peugeot a renversé Mme Bernard.	*A Peugeot 205 ran over Mme Bernard.*
Les sapeurs-pompiers ont transporté Mme Bernard à l'hôpital.	*The firemen took Mme Bernard to hospital.*

Maintenant regardez la version de ces deux phrases qui se trouvent dans l'Unité 9 («Deux piétons et un motard blessés», 9.8):

Mme Bernard **a été renversée** par une 205 Peugeot.	*Mme Bernard **was run over** by a Peugeot 205.*
Mme Bernard **a été transportée** par les sapeurs-pompiers à l'hôpital.	*Mme Bernard **was taken** to hospital by the firemen.*

Dans la première version de ces deux phrases, le **sujet** du verbe **fait** l'action et on dit que le verbe est **à la voix active**.

Dans la deuxième version, le **sujet** du verbe **subit** l'action faite par quelqu'un ou quelque chose d'autre. Ici l'on dit que le verbe est **à la voix passive**.

5.12.2

Parce qu'une forme du verbe **être** s'emploie en toute construction passive, le participe passé du verbe principal fonctionne en tant qu'adjectif, s'accordant en genre et en nombre avec son sujet.

> Nous avons été renversé**s**. Elles ont été renversé**es**.

5.12.3

Pour former le verbe à la voix passive, on utilise le **participe passé** du verbe, précédé de **l'auxiliaire être**. Par exemple, voici les formes passives du verbe «transporter».

présent: je **suis** transporté(e)
imparfait: j'**étais** transporté(e)
futur: je **serai** transporté(e)
conditionnel: je **serais** transporté(e)
passé composé: j'**ai été** transporté(e)
plus-que-parfait: j'**avais été** transporté(e)
passé simple: je **fus** transporté(e)

A noter:
Il existe aussi une forme passive au futur proche. Puisque l'auxiliaire **aller** nécessite un verbe à l'infinitif, on utilise le participe passé du verbe plus l'infinitif **être**:

> Je **vais être** transporté(e).

5.13 *Constructions avec l'infinitif*

5.13.1

Vous rencontrerez souvent un infinitif relié au verbe par une préposition, normalement **à** ou **de**:

> Elle a hésité **à téléphoner**.
> Je vais essayer **de venir**.

La liste suivante vous donne les verbes les plus fréquents dans cette catégorie:

à + infinitif	de + infinitif
aboutir à	accuser de
s'accoutumer à	achever de
aider à	s'arrêter de
s'amuser à	avertir de
s'appliquer à	avoir envie de
apprendre à	avoir peur de
s'apprêter à	blâmer de
arriver à	cesser de
s'attendre à	commander de
avoir à	conseiller de
avoir du mal à	se contenter de
se borner à	*continuer de
chercher à	convenir de
commencer à	craindre de
consentir à	décider de
consister à	défendre de
*continuer à	se dépêcher de
contribuer à	désespérer de
se décider à	dire de
destiner à	s'efforcer de
encourager à	empêcher de
engager à	s'empresser de
enseigner à	s'ennuyer de
s'habituer à	essayer de
se hasarder à	s'étonner de
hésiter à	éviter de
inviter à	s'excuser de
se mettre à	faire semblant de
s'obstiner à	feindre de
parvenir à	féliciter de
passer son temps à	finir de
perdre son temps à	se hâter de
persister à	jurer de
se plaire à	manquer de
prendre plaisir à	menacer de
se préparer à	mériter de
renoncer à	offrir de
se résigner à	omettre de
rester à	ordonner de
réussir à	oublier de
songer à	pardonner de
tarder à	parler de
tenir à	permettre de
	persuader de
	prendre garde de
	prier de

de + infinitif
promettre de
proposer de
recommander de
refuser de
regretter de
remercier de
se repentir de
reprocher de
résoudre de
risquer de
soupçonner de
se souvenir de
supplier de
tâcher de
tenter de
se vanter de

A noter:
Le verbe «continuer» s'emploie avec **à** ou **de**.

5.13.2

Il y a un autre groupe de verbes qui se lient **directement** à un infinitif:
> Elle **va travailler** avec nous.
> L'arbitre **a dû décider** vite.
> Je **ne voulais pas rester**.
> Il **faut donner** autant que l'on a reçu.

En voilà la liste:

aimer
aimer mieux
aller
avouer
compter
courir
croire
daigner
déclarer
désirer
devoir
écouter
entendre
entrer
envoyer
espérer
faire
falloir
laisser
oser
paraître
pouvoir
préférer
prétendre
regarder
retourner
savoir
sembler
sentir
valoir mieux
voir
vouloir

5.13.3

Certains adjectifs se lient aussi à un infinitif avec **à** ou **de**:
> Je suis **enclin à** vous **croire**.
> Sa famille était **heureuse d'accueillir** le jeune Allemand.

En voilà une liste qui vous sera utile:

à + infinitif	de + infinitif
enclin à	heureux de
disposé à	capable de
prêt à	certain de
propre à	content de
prompt à	sûr de
lent à	
lourd à	
le/la seul(e) à	
le/la premier/première à	
facile à	
difficile à	

5.13.4

Certains noms se lient aussi à un infinitif avec **de**:
> Vous avez **le droit de** vous **plaindre**.
> Elle n'avait pas **le temps d'échapper**.

Voilà la liste des noms les plus fréquents dans cette catégorie:
le besoin de
la bonté de
le désir de
le droit de
l'honneur de
l'occasion de
le plaisir de

5.13.5

Beaucoup, plus, moins, trop, suffisamment, quelque chose, rien, et énormément se lient à un infinitif avec la préposition **à**:
> Le déménagement lui avait donné **beaucoup à faire**.
> Elle avait **moins à rattraper** que lui.
> J'ai **quelque chose** à leur **dire**.
> Il n'a jamais **rien à faire**.

Des noms se lient à l'infinitif de la même manière:
> J'ai des tas de choses à faire.
> J'ai un examen à passer

149

5.13.6

Pour/afin de et **sans** se lient aussi à un infinitif. Ils
s'emploient très fréquemment dans le français parlé
et écrit:

> **Pour améliorer** leur connaissance en langue
> étrangère . . .
> Je suis trop âgée **pour suivre** des cours au
> collège.
> **Afin de répondre** à tous les types de demandes.
> **Sans vouloir** vous insulter.

Tableau des verbes irréguliers

Infinitif	Participe passé / Participe présent	Présent	Futur	Conditionnel	Passé composé	Plus-que-parfait	Imparfait	Passé simple
ACHETER	acheté / achetant	j'achète / tu achètes / il/elle/on achète / nous achetons / vous achetez / ils/elles achètent	j'achèterai	j'achèterais	j'ai acheté	j'avais acheté	j'achetais	j'achetai
ALLER	allé / allant	je vais / tu vas / il/elle/on va / nous allons / vous allez / ils/elles vont	j'irai	j'irais	je suis allé(e)	j'étais allé(e)	j'allais	j'allai
APPELER	appelé / appelant	j'appelle / tu appelles / il/elle/on appelle / nous appelons / vous appelez / ils/elles appellent	j'appellerai	j'appellerais	j'ai appelé	j'avais appelé	j'appelais	j'appelai
APPRENDRE voir **PRENDRE**								
S'ASSEOIR	assis / asseyant	je m'assieds / tu t'assieds / il/elle/on s'assied / nous nous asseyons / vous vous asseyez / ils/elles s'asseyent	je m'assiérai	je m'assiérais	je me suis assis(e)	je m'étais assis(e)	je m'asseyais	je m'assis
S'ATTENDRE A	attendu / attendant	je m'attends / tu t'attends / il/elle/on s'attend / nous nous attendons / vous vous attendez / ils/elles s'attendent	je m'attendrai	je m'attendrais	je me suis attendu(e)	je m'étais attendu(e)	je m'attendais	je m'attendis
AVOIR	eu / ayant	j'ai / tu as / il/elle/on a / nous avons / vous avez / ils/elles ont	j'aurai	j'aurais	j'ai eu	j'avais eu	j'avais	j'eus
BALAYER	balayé / balayant	je balaie / tu balaies / il/elle/on balaie / nous balayons / vous balayez / ils/elles balaient	je balaierai	je balaierais	j'ai balayé	j'avais balayé	je balayais	je balayai
BATTRE	battu / battant	je bats / tu bats / il/elle/on bat / nous battons / vous battez / ils/elles battent	je battrai	je battrais	j'ai battu	j'avais battu	je battais	je battis
BOIRE	bu / buvant	je bois / tu bois / il/elle/on boit / nous buvons / vous buvez / ils/elles boivent	je boirai	je boirais	j'ai bu	j'avais bu	je buvais	je bus
CHANGER voir **MANGER**								
COMMENCER	commencé / commençant	je commence / tu commences / il/elle/on commence / nous commençons / vous commencez / ils/elles commencent	je commencerai	je commencerais	j'ai commencé	j'avais commencé	je commençais	je commençai
COMPRENDRE voir **PRENDRE**								
CONDUIRE	conduit / conduisant	je conduis / tu conduis / il/elle/on conduit / nous conduisons / vous conduisez / ils/elles conduisent	je conduirai	je conduirais	j'ai conduit	j'avais conduit	je conduisais	je conduisis
CONNAITRE	connu / connaissant	je connais / tu connais / il/elle/on connaît / nous connaissons / vous connaissez / ils/elles connaissent	je connaîtrai	je connaîtrais	j'ai connu	j'avais connu	je connaissais	je connus
CONSTRUIRE voir **CONDUIRE**								

Infinitif	Participe passé / Participe présent	Présent	Futur	Conditionnel	Passé composé	Plus-que-parfait	Imparfait	Passé simple
CORRIGER	corrigé / corrigeant	je corrige / tu corriges / il/elle/on corrige / nous corrigeons / vous corrigez / ils/elles corrigent	je corrigerai	je corrigerais	j'ai corrigé	j'avais corrigé	je corrigeais	je corrigeai
COURIR	couru / courant	je cours / tu cours / il/elle/on court / nous courons / vous courez / ils/elles courent	je courrai	je courrais	j'ai couru	j'avais couru	je courais	je courus
COUVRIR voir OUVRIR								
CROIRE	cru / croyant	je crois / tu crois / il/elle/on croit / nous croyons / vous croyez / ils/elles croient	je croirai	je croirais	j'ai cru	j'avais cru	je croyais	je crus
DECOUVRIR voir OUVRIR								
DECRIRE voir ECRIRE								
DERANGER voir MANGER								
DESCENDRE	descendu / descendant	je descends / tu descends / il/elle/on descend / nous descendons / vous descendez / ils/elles descendent	je descendrai	je descendrais	je suis descendu(e)	j'étais descendu(e)	je descendais	je descendis
DEVENIR voir VENIR								
DEVOIR	dû / devant	je dois / tu dois / il/elle/on doit / nous devons / vous devez / ils/elles doivent	je devrai	je devrais	j'ai dû	j'avais dû	je devais	je dus
DIRE	dit / disant	je dis / tu dis / il/elle/on dit / nous disons / vous dites / ils/elles disent	je dirai	je dirais	j'ai dit	j'avais dit	je disais	je dis
DIRIGER voir CORRIGER								
DISPARAITRE voir PARAITRE								
DORMIR	dormi / dormant	je dors / tu dors / il/elle/on dort / nous dormons / vous dormez / ils/elles dorment	je dormirai	je dormirais	j'ai dormi	j'avais dormi	je dormais	je dormis
ECRIRE	écrit / écrivant	j'écris / tu écris / il/elle/on écrit / nous écrivons / vous écrivez / ils/elles écrivent	j'écrirai	j'écrirais	j'ai écrit	j'avais écrit	j'écrivais	j'écrivis
S'ENDORMIR	endormi / endormant	je m'endors / tu t'endors / il/elle/on s'endort / nous nous endormons / vous vous endormez / ils/elles s'endorment	je m'endormirai	je m'endormirais	je me suis endormi(e)	je m'étais endormi(e)	je m'endormais	je m'endormis
S'ENNUYER	ennuyé / ennuyant	je m'ennuie / tu t'ennuies / il/elle/on s'ennuie / nous nous ennuyons / vous vous ennuyez / ils/elles s'ennuient	je m'ennuierai	je m'ennuierais	je me suis ennuyé(e)	je m'étais ennuyé(e)	je m'ennuyais	je m'ennuyai
ENVOYER	envoyé / envoyant	j'envoie / tu envoies / il/elle/on envoie / nous envoyons / vous envoyez / ils/elles envoient	j'enverrai	j'enverrais	j'ai envoyé	j'avais envoyé	j'envoyais	j'envoyai
EPELER voir APPELER								
ESPERER	espéré / espérant	j'espère / tu/espères / il/elle/on espère / nous espérons / vous espérez / ils/elles espèrent	j'espérerai	j'espérerais	j'ai espéré	j'avais espéré	j'espérais	j'espérai

Infinitif	Participe passé / Participe présent	Présent	Futur	Conditionnel	Passé composé	Plus-que-parfait	Imparfait	Passé simple
ESSAYER	essayé / essayant	j'essaie tu essaies il/elle/on essaie nous essayons vous essayez ils/elles essaient	j'essaierai	j'essaierais	j'ai essayé	j'avais essayé	j'essayais	j'essayai
ESSUYER	essuyé / essuyant	j'essuie tu essuies il/elle/on essuie nous essuyons vous essuyez ils/elles essuient	j'essuierai	j'essuierais	j'ai essuyé	j'avais essuyé	j'essuyais	j'essuyai
ETRE	été / étant	je suis tu es il/elle/on est nous sommes vous êtes ils/elles sont	je serai	je serais	j'ai été	j'avais été	j'étais	je fus
EXAGERER voir ESPERER								
FAIRE	fait / faisant	je fais tu fais il/elle/on fait nous faisons vous faites ils/elles font	je ferai	je ferais	j'ai fait	j'avais fait	je faisais	je fis
FALLOIR	fallu	il faut	il faudra	il faudrait	il a fallu	il avait fallu	il fallait	il fallut
SE LEVER	levé / levant	je me lève tu te lèves il/elle/on se lève nous nous levons vous vous levez ils/elles se lèvent	je me lèverai	je me lèverais	je me suis levé(e)	je m'étais levé(e)	je me levais	je me levai
LIRE	lu / lisant	je lis tu lis il/elle/on lit nous lisons vous lisez ils/elles lisent	je lirai	je lirais	j'ai lu	j'avais lu	je lisais	je lus
LOGER voir MANGER								
MANGER	mangé / mangeant	je mange tu manges il/elle/on mange nous mangeons vous mangez ils/elles mangent	je mangerai	je mangerais	j'ai mangé	j'avais mangé	je mangeais	je mangeai
MENACER voir COMMENCER								
METTRE	mis / mettant	je mets tu mets il/elle/on met nous mettons vous mettez ils/elles mettent	je mettrai	je mettrais	j'ai mis	j'avais mis	je mettais	je mis
MOURIR	mort / mourant	je meurs tu meurs il/elle/on meurt nous mourons vous mourez ils/elles meurent	je mourrai	je mourrais	je suis mort(e)	j'étais mort(e)	je mourais	je mourus
NAGER voir MANGER								
NAITRE	né / naissant	je nais tu nais il/elle/on naît nous naissons vous naissez ils/elles naissent	je naîtrai	je naîtrais	je suis né(e)	j'étais né(e)	je naissais	je naquis
NEGLIGER voir CORRIGER								
NETTOYER	nettoyé / nettoyant	je nettoie tu nettoies il/elle/on nettoie nous nettoyons vous nettoyez ils/elles nettoient	je nettoierai	je nettoierais	j'ai nettoyé	j'avais nettoyé	je nettoyais	je nettoyai
OBTENIR voir TENIR								
OFFRIR voir OUVRIR								
OUVRIR	ouvert / ouvrant	j'ouvre tu ouvres il/elle/on ouvre nous ouvrons vous ouvrez ils/elles ouvrent	j'ouvrirai	j'ouvrirais	j'ai ouvert	j'avais ouvert	j'ouvrais	j'ouvris
PARAITRE	paru / paraissant	je parais tu parais il/elle/on paraît nous paraissons vous paraissez ils/elles paraissent	je paraîtrai	je paraîtrais	j'ai paru	j'avais paru	je paraissais	je parus

Infinitif	Participe passé / Participe présent	Présent	Futur	Conditionnel	Passé composé	Plus-que-parfait	Imparfait	Passé simple
PARTIR	parti / partant	je pars, tu pars, il/elle/on part, nous partons, vous partez, ils/elles partent	je partirai	je partirais	je suis parti(e)	j'étais parti(e)	je partais	je partis
PAYER	payé / payant	je paie, tu paies, il/elle/on paie, nous payons, vous payez, ils/elles paient	je paierai	je paierais	j'ai payé	j'avais payé	je payais	je payai
PERMETTRE voir METTRE								
PLACER voir COMMENCER								
SE PLAINDRE	plaint / plaignant	je me plains, tu te plains, il/elle/on plaint, nous nous plaignons, vous vous plaignez, ils/elles se plaignent	je me plaindrai	je me plaindrais	je me suis plaint(e)	je m'étais plaint(e)	je me plaignais	je me plaignis
PLAIRE	plu / plaisant	je plais, tu plais, il/elle/on plaît, nous plaisons, vous plaisez, ils/elles plaisent	je plairai	je plairais	j'ai plu	j'avais plu	je plaisais	je plus
PLEUVOIR	plu / pleuvant	il pleut	il pleuvra	il pleuvrait	il a plu	il avait plu	il pleuvait	il plut
POUVOIR	pu / pouvant	je peux, tu peux, il/elle/on peut, nous pouvons, vous pouvez, ils/elles peuvent	je pourrai	je pourrais	j'ai pu	j'avais pu	je pouvais	je pus
PREFERER voir ESPERER								
PRENDRE	pris / prenant	je prends, tu prends, il/elle/on prend, nous prenons, vous prenez, ils/elles prennent	je prendrai	je prendrais	j'ai pris	j'avais pris	je prenais	je pris
PRODUIRE voir CONDUIRE								
SE PROMENER	promené / promenant	je me promène, tu te promènes, il/elle/on se promène, nous nous promenons, vous vous promenez, ils/elles se promènent	je me promènerai	je me promènerais	je me suis promené(e)	je m'étais promené(e)	je me promenais	je me promenai
PROMETTRE voir METTRE								
PRONONCER voir COMMENCER								
RANGER voir MANGER								
RAPPELER voir APPELER								
RECEVOIR	reçu / recevant	je reçois, tu reçois, il/elle/on reçoit, nous recevons, vous recevez, ils/elles reçoivent	je recevrai	je recevrais	j'ai reçu	j'avais reçu	je recevais	je reçus
RECOMMENCER voir COMMENCER								
RECONNAITRE voir CONNAITRE								
REDUIRE voir CONDUIRE								
REMETTRE voir METTRE								
REMPLACER voir COMMENCER								
REPRENDRE voir PRENDRE								

Infinitif	Participe passé Participe présent	Présent	Futur	Conditionnel	Passé composé	Plus-que-parfait	Imparfait	Passé simple
RESTER	resté restant	je reste tu restes il/elle/on reste nous restons vous restez ils/elles restent	je resterai	je resterais	je suis resté(e)	je'étais resté(e)	je restais	je restai
RETENIR voir TENIR								
REVELER voir ESPERER								
REVENIR voir VENIR								
REVOIR voir VOIR								
RINCER voir COMMENCER								
RIRE	ri riant	je ris tu ris il/elle/on rit nous rions vous riez ils/elles rient	je rirai	je rirais	j'ai ri	j'avais ri	je riais	je ris
SATISFAIRE voir FAIRE								
SAVOIR	su sachant	je sais tu sais il/elle/on sait nous savons vous savez ils/elles savent	je saurai	je saurais	j'ai su	j'avais su	je savais	je sus
SENTIR	senti sentant	je sens tu sens il/elle/on sent nous sentons vous sentez ils/elles sentent	je sentirai	je sentirais	j'ai senti	j'avais senti	je sentais	je sentis
SERVIR	servi servant	je sers tu sers il/elle/on sert nous servons vous servez ils/elles servent	je servirai	je servirais	j'ai servi	j'avais servi	je servais	je servis
SORTIR	sorti sortant	je sors tu sors il/elle/on sort nous sortons vous sortez ils/elles sortent	je sortirai	je sortirais	je suis sorti(e)	j'étais sorti(e)	je sortais	je sortis
SOUFFRIR	souffert souffrant	je souffre tu souffres il/elle/on souffre nous souffrons vous souffrez ils/elles souffrent	je souffrirai	je souffrirais	j'ai souffert	j'avais souffert	je souffrais	je souffris
SOURIRE voir RIRE								
SE SOUVENIR voir VENIR								
SUFFIRE	suffi suffisant	je suffis tu suffis il/elle/on suffit nous suffisons vous suffisez ils/elles suffisent	je suffirai	je suffirais	j'ai suffi	j'avais suffi	je suffisais	je suffis
SUIVRE	suivi suivant	je suis tu suis il/elle/on suit nous suivons vous suivez ils/elles suivent	je suivrai	je suivrais	j'ai suivi	j'avais suivi	je suivais	je suivis
SURPRENDRE voir PRENDRE								
SE TAIRE	tu taisant	je me tais tu te tais il/elle/on se tait nous nous taisons vous vous taisez ils/elles se taisent	je me tairai	je me tairais	je me suis tu(e)	je m'étais tu(e)	je me taisais	je me tus
TENIR	tenu tenant	je tiens tu tiens il/elle on tient nous tenons vous tenez ils/elles tiennent	je tiendrai	je tiendrais	j'ai tenu	j'avais tenu	je tenais	je tins ·
TRADUIRE voir CONDUIRE								
VALOIR	valu valant	je vaux tu vaux il/elle on vaut nous valons vous valez ils/elles valent	je vaudrai	je vaudrais	j'ai valu	j'avais valu	je valais	je valus

Infinitif	Participe passé / Participe présent	Présent	Futur	Conditionnel	Passé composé	Plus-que-parfait	Imparfait	Passé simple
VENIR	venu venant	je viens tu viens il/elle/on vient nous venons vous venez ils/elles viennent	je viendrai	je viendrais	je suis venu(e)	j'étais venu(e)	je venais	je vins
VIVRE	vécu vivant	je vis tu vis il/elle/on vit nous vivons vous vivez ils/elles vivent	je vivrai	je vivrais	j'ai vécu	j'avais vécu	je vivais	je vécus
VOIR	vu voyant	je vois tu vois il/elle/on voit nous voyons vous voyez ils/elles voient	je verrai	je verrais	j'ai vu	j'avais vu	je voyais	je vis
VOULOIR	voulu voulant	je veux tu veux il/elle/on veut nous voulons vous voulez ils/elles veulent	je voudrai	je voudrais	j'ai voulu	j'avais voulu	je voulais	je voulus

VOYAGER voir MANGER

Vocabulaire

A

s'abonner à *to subscribe to*
aborder *to approach, tackle*
(s') achever *to finish, end*
accro de *keen on, hooked on*
s'accrocher à *to cling on to, attach oneself to*
accueillir *to welcome, greet*
adepte (m or f) *fan, follower*
adresse (f) *skill*
d'affilée *on end, on the run, at a time*
affranchir *to liberate*
affluer *to be plentiful*
affrontement (m) *conflict, confrontation*
(agence d') événementielle (m) *agency which provides temporary staff*
agrégation (f) *competitive examination*
agrément (m) *consent*
aile (f) *wing*
ailleurs *elsewhere*
aîné(e) *elder, eldest*
aisé(e) *well-off*
aléa (m) *unpredictable event*
alléchant (adj) *attractive*
allure (f) *pace, speed*
améliorer *to improve*
amicale (f) *club, society*
amorcer *to begin/to start*
animation (f) *events, things going on*
par antiphrase *ironically*
s'apercevoir (de) *to notice*
s'apprêter à *to get ready to*
appui (m) *support*
âpre (adj) *bitter*
après avoir (+ participe passé) *after ....ing*
araignée (f) *spider*

arriver à faire quelque chose *to manage to do something*
arrondir vos (fins de) mois *supplement your income*
assister à *to be present at, witness*
assoupi(e) *sleepy*
assouvir *to satisfy, cater for*
atout (m) *advantage, trump card, 'plus' point*
attendrir *to touch, soften*
attirer *to attract*
augmentation (f) *increase*
auparavant *previously*
autochtone (m, f) *local (people)*
autrefois *in the old days*
autrement *differently*
avant de + inf. *before ...ing*
avoir l'occasion de (+ inf.) *to have the opportunity to*
avoir un peu sec *to be disappointed*
avouer *to confess, admit*

B

bagout (m) *gift of the gab*
beignet (m) *doughnut*
bénéficier de *to enjoy, benefit from*
bienfaiteur *benefactor*
bienvenu(e) *welcome*
bille (f) *(glass) marble; mug (face)*
bleu (m) *(blue) overall/bruise*
bondé(e) *full*
boudé(e) *ignored, shunned*
bouée (f) *buoy, lifeline*
bouleverser *to upset, dismay, move*
au bout de *to/at the limit, end of*
braillement (m) *scream*
brocanterie (f) *bric-à-brac; second-hand goods*

brusquerie (f) *abruptness (of manner)*
buter *to stumble*

C

cadet(te) *younger, youngest*
cadre (m) *frame(work), context*
cafard (avoir le) *to be fed up/bored/depressed*
calvaire (m) *religious procession*
cauchemar (m) *nightmare*
caution (f) *advance payment; guarantee*
censé(e) *supposed (to)*
chagrin (m) *sadness, worry*
chanceux, -euse (adj) *lucky*
chaton (m) *kitten*
chauffard (m) *road-hog*
au premier chef *in the first instance*
chiffre (m) *figure, statistic*
chiot (m) *puppy*
cinglé(e) *hooked on*
le coeur léger *without a care in the world*
collant(e) *clinging*
commode *useful*
compréhensif, -ive *understanding*
se conduire *to behave*
par contre *on the other hand/on the contrary*
congé (m) *holiday*
connerie (f) [usually pl.] *silly behaviour*
conseil (m) *advice*
conseiller (m) *adviser*
contenance (f) *(facial) appearance, look*
convenir *to suit*
convenir de *to agree*

coordonnées (f. pl.) *phone number*

corvée (f) *chore*

coudre *to sew*

couramment *fluently*

croûte (f) *crust, scab*

cueillette (f) *(fruit) picking*

culot (m) *cheek, nerve*

D

déblatérer *to gossip*

débordé (adj) *overstretched*

déborder de *to overflow with*

débouché (m) *opening, opportunity*

se débrouiller *to cope, to manage*

décevoir *to disappoint*

se décontracter *to relax*

décrocher (un emploi) *to find, get (a job)*

se débarrasser de *to get rid of*

déchirement (m) *tearing, dreadful blow*

défaillance (f) *failure*

dégât (m) *damage*

au demeurant *besides, what's more*

dénivellation (f) *difference in level, differentiation*

dépasser *to exceed*

dépaysement (m) *removal*

se déplacer *to get around*

déprimer *to become depressed*

dernièrement *recently*

dérober *to snatch*

dès; dès que *from (re: time); as soon as*

désormais *from now/then on*

détenir *to have, hold, possess*

détente (f) *relaxation*

deviner *to guess, come across*

deuil (m) *grief, mourning*

digestif (m) *after-dinner drink*

disposer de *to have available*

douillet(te) *comfortable*

draguer *to chat up*

durer *to last*

E

écarter *to exclude*

(s')éclater *to burst out, to let oneself go*

s'écouler *to go by, flow away*

effleurer *to graze, brush, touch lightly*

effréné(e) *frantic*

également *also, equally*

emballer *to package, wrap*

embaucher *to recruit, take on*

embêter *to annoy*

s'emparer de *to seize*

empêcher *to prevent*

s'empiffrer *to stuff oneself with food*

encadré(e) (de) *surrounded (by)*

encadrer *to supervise, surround*

énervant *annoying*

enfiler *to slip on; to take (a street, a turning)*

enfoncé(e) *smashed in*

enfouir *to plunge, stick in*

s'enfuir *to run off, flee*

engueuler quelqu'un (fam.) *to shout at somebody*

enquête (f) *enquiry*

entamer *to begin*

entourer *to surround*

entretien (m) *maintenance, upkeep; conversation, interview*

s'envoler *to fly away, run off*

épanouissement (m) *development*

épater *to impress, amaze*

épuiser *to exhaust, wear out*

essor (m) *growth, boom*

étrier (m) *stirrup*

éventuellement *possibly, if necessary*

évident(e) *obvious, self-evident*

exigence (f) *demand*

exiger *to demand*

F

fagoté(e) *dressed (slang)*

faire preuve de *to show, give evidence of*

fauché(e) *broke, penniless*

fiable (adj) *(trustworthy)*

figuration (f) *work as an extra, walk-on part*

filière (f) *path, channel, procedure*

flou (adj) *flexible*

foie (m) *liver*

foncer *to speed along*

forcément *necessarily, obviously*

formation (f) *training*

formule (f) *scheme, method*

fournir *to provide*

fournitures (f pl) *supplies*

se foutre (je m'en fous) *not to care (I don't care)*

frais (m. pl.) *expense, cost*

fredonner *to hum*

frimousse (f) *face*

frôler *to touch lightly*

G

gâcher *to spoil*

gain (m) de cause, obtenir *to win out, be proved right*

galère (f) *hardship*

galérer *to toil, slave*

gamin(e) (f, m) *urchin*

gamme (f) *range, extent*

gâter *to spoil*

se gâter *to go wrong, go bad*

gérer *to manage, control (money)*

grignoter *to nibble*

grimpette (f) *climbing*

guetter *to look out for*

à (leur) guise (f) *as (they) wish*

H

de longue haleine *long winded*

hantise (f) *obsession*

à la hauteur de *level with, equal to*

hébergement (m) *lodging, accommodation*

hochement (m) *nod*

honte (f) *shame*

hôtel (m) de passe *brothel*

houleux, -euse *stormy*

I

immobilier (m) *property, real estate*

impressionnant(e) *impressive*

inculper *to charge*

insouciant (adj) *without a care*

instaurer *to set up*

intérimaire (adj) *temporary*

interlocuteur, -trice *person you're speaking with*
interpeller *to call to*

J

jouir de *to enjoy, possess*

L

laid(e) *ugly*
larron (m) *thief*
légèrement *slightly*
libraire (m or f) *bookseller*
licencié(e) *permit-holder; graduate; someone who's been sacked*
au lieu de *instead of*
location (f) *rented accommodation*
locution (f) *phrase*
loi (f) *law*
lors de *when/at the time of*
louer *to rent*

M

main d'oeuvre (f) *workforce, labour*
avoir du mal à (+ inf.) *to find it hard to*
mal loti(e) *badly off, in short supply*
malin, -gne *crafty, sly*
manger sur le pouce *to eat in a rush*
manutentionnaire (m, f) *person who stacks shelves*
maquette (f) *model, kit*
(se) maquiller *to (put on) make up*
mare (f) *pond*
marrant (adj) *lively, fun*
mec (m) *guy*
mèche (f) *wisp (of hair)*
mendier *to beg*
se méprendre à *to misunderstand, misinterpret*
mièvre (adj) *half-hearted, lukewarm*
mijoter *to simmer*
milliard (m) de *billion*
minable (adj) *deplorable*
(faire) mine (de) + inf. *to look as if ...*
à moins que + subjunctive *unless*
môme (f) *brat, kid*
morfondu(e) *bored to tears*

la (note) moyenne *pass-mark*
multiplier *to increase*
mûr(e) *mature*

N

nana (f) (fam.) *girl*
napper *to layer*
ne ... guère *barely, scarcely*
nettement *clearly*
nocif, -ive *harmful*
nul *nothing*

O

occasionnel(le) *for a particular occasion*
ondes (f. pl.) *(radio) wave (-length)*
orphelin(e) (m, f) *orphan*
ours (m) *bear*

P

papy (m) (fam.) *grandad*
par-dessus le marché *what's more, besides, into the bargain*
parcours (m) *path*
pari (m) *bet, wager*
partager *to share*
à partir de *from (in time)*
parvenir à *to achieve, attain*
pâte (f) *pastry*
(se) pencher *to lean*
pénétré(e) de *convinced by, sure of*
pension complète (f) *full board*
à peu près *about, roughly*
pincement (m) *twinge*
plaie (f) *wound*
se plaindre de *to complain about*
sur le plan de *as regards*
plancher sur *to spout about*
plonge (f) *washing dishes (in café, etc.)*
poil (m) *hair*
porte cochère *gateway*
se porter bien *to be well, fit*
pouffiasse (f) *prostitute*
pourparlers (m) *negotiations*
pratiquer *to practise, to have a skill*
présent(e) *popular*

prévenir *inform, warn*
prévu(e) *anticipated, expected*
se priver (de) *to deprive onself (of), do without*
pulluler *to be plentiful*

Q

quant à *as for*
quasiment *virtually*
quelconque *any old, some ... or other*

R

raconter *to tell, relate*
radioscopie (f) *X-ray*
raffoler de *to be keen on*
en raison de *because of*
rallonge (f) *extension, increase, extra*
rampe (f) *footlights*
rapport (m) *relationship; report*
rater *to miss (train, etc.); to misfire, backfire*
ratisser *to search thoroughly*
ravi(e) *delighted*
réaction, avion à (f) *jet plane*
récompense (f) *reward*
récupérer *to recover, rescue, salvage*
rédiger *to draft out*
redoubler *to retake the year*
redoutable *dreaded*
rein (m) *kidney*
rejeton (m) *offspring*
remplir *to fill*
se rendre *to go*
rentré(e) *suppressed*
(se) répandre *to spread*
repérer *to detect, spot*
rétro (adj) *old-fashioned*
rêver *to dream*
révolu(e) *past, completed*
de rigueur *essential*
ronger *bite, gnaw*
rouler quelqu'un *to trick someone*
rouspéter *to grumble*
routier, -ière (m, f) *lorry driver; road (adj.) e.g. transport routier*

S

sanctionner *to penalise*

sécher *to cut, miss (a lesson)*

semer *to sow*

sensible *sensitive*

sensiblerie (f) *sentimentality, squeamishness*

sillonner *to prowl*

sinon *otherwise, apart from that*

SMIC *Salaire Minimum Interprofessionnel de Croissance; minimum wage*

solfège (m) *scales, basic theory of music*

sondage (m) *opinion poll*

se soucier de *to bother, worry about*

soudeur, -euse (m, f) *welder*

soupirer *to sigh*

sous-vide (m) *vacuum (-packing)*

stade (m) *stage, level, stadium*

stagiaire *person on a course*

standardiste (m, f) *switchboard operator*

subir *to undergo, suffer*

succursale (f) *branch (of shop, etc.)*

grande surface *hypermarket*

surveiller *to supervise*

survolté (adj) *over-excited, worked up*

T

tailler *to cut, carve; to cut down on*

tant que *as much as*

en tant que *(in one's role) as*

tasser *press down*

témoigner de *to give evidence, proof, of*

tenir à *to badly want (to), be keen on/to*

tenue (f) *dress*

terminaison (f) *ending (of word)*

terne *drab, dull*

terroir (m) *soil, ground*

tertiaire (m) *service sector*

tire-lire (f) *money-box, piggy-bank*

tirer (sur) *to shoot*

en toile de fond *in the background*

tout à fait *completely*

se traduire *to reveal itself, to become visible*

traîner *to hang around*

trait (m) *feature, characteristic*

trente-six *umpteen*

tricher *to cheat*

truc (m) *'thingummy', 'whatsit'*

truquer *to fake*

tutelle (f) *wing, protection*

V

valorisant (adj) *worthy, respectable*

veille (f) *day before*

avoir vent de *to hear about*

vente (f) *sales, selling*

véridique *life-like, true to life*

veuf, veuve (m, f) *widower, widow*

vis-à-vis (m) *person opposite*

voire *even*

volant (m) *steering wheel*

(se) volatiliser *to disappear into thin air*

voûté(e) *bent over, stooped*